ドクタータコバシの爺ジ(時事)放談

タコバシ

幻冬舎ルネッサンス新書
260

まえがき

著者は、がん患者の緩和ケアと、高齢者の終末期医療＝エンド・オブ・ライフケアをライフワークにする一臨床医で、超高齢社会へと移行した医療現場で働いています。

「高齢患者の終末期医療」と「尊厳死と安楽死」は、著者が追求している最重要テーマで、日本を代表する識者の意見をもとに書き連ねました。

さて、２０００年夏に2年半の米国留学を終えて帰国すると、みんな携帯電話を所有して、若い女子が茶髪なのにびっくりした記憶があります。帰国以来20年あまり、ＤＸ（デジタル・トランスフォーメーション）が急速に進む中、子どもの頃からＰＣ・ネットに慣れ親しんできたデジタル・ネイティブ世代、スマホ・ネイティブ世代、そしてプログラミングの授業が義務化されているプログラミング・ネイティブ世代と、テクノロジーによる世代の分別が急加速中です。ネット・スマホは確かに便利なツールですが、「ＳＮＳと若者」では、20年前から注目していたその功罪の「罪」の方に注目して私見を述べました。

「ＬＧＢＴについて」では、大上段で堂々たる正論を振りかざされると反論の余地はありませんが、その陰で何かもやもやした違和感を覚えている身近な人たち（著者の家内を含む）が少なからず存在していることを実感しています。ジェンダー議論については、長い歴史と背景があり、医学的にも大いに興味あるところなので、まとめてみました。

著者が独断と偏見で書き連ねた4つのテーマですが、読者の皆さまの知識、見識、そして胆識を練るために些少なりともお役に立てば、幸いと存じます。

「ダイバーシティ」という言葉を聞いたことがあるでしょうか？

「多様性」と言い換えることもでき、近年はダイバーシティを意識して組織を変えていく企業もどんどん増えています。

皆さまの日々の生活の中でダイバーシティを感じる機会が増えているのはないでしょうか。

例えば、雇用の機会均等、多様な働き方、ライフスタイルなどで、ダイバーシティは身近になってきています。

これからお示しする4つのテーマは、議論し始めると、「朝まで生テレビ」状態で賛否両論の議論続出、百家争鳴状態を呈すること、必定です。

「多様性」を念頭に入れて客観性を担保するため、できる限り出典の明確な公表されている資料に則り、議論を進めていきたいと考えております。

目次

1 高齢患者の終末期医療

イントロダクション

イントロとして、現在日本を代表する若手二大論客の対談記事の要約をお示しします。

『文藝春秋　文學界　2019年1月号』
対談　落合陽一×古市憲寿　「平成」が終わり、「魔法元年」が始まる
（184～186頁）

①社会保障費を大幅にカットしないと、社会保障制度が崩壊しかねないから、高齢者の医療費を削る必要がある。
ただし、高齢者の医療費を全部削るのではなく、お金がかかっているのは終末期医療、特に最期の1ヶ月なので、
高齢者に「10年早く死んでくれ」と言うわけじゃなくて、「最期の1ヶ月間の延命治療をやめませんか？」と提案する。
具体的には、胃ろうを作ったり、ベッドでただ眠ったりの1ヶ月は不要じゃないかとみんなで議

論する。

②安楽死については、２０１０年の朝日新聞による世論調査で、日本人の7割は安楽死に賛成しており、政治家は安楽死の話をすると高齢者の票を失うので、安楽死の議論を避けている。

今の60代や70代は、自分の親世代の介護ですごく苦労しているので、そういう65歳の人は、定義上は高齢者であるけれども、もしかしたら安楽死には肯定的かもしれないし、65歳以上をいっしょくたに高齢者として捉えると、見誤ってしまう。

橋田壽賀子さんは92歳で『安楽死で死なせて下さい』（文藝春秋、２０１７年）という本を上梓したが、死にたいと思っている高齢者も多いかもしれない。

③超高齢社会では、安楽死や延命治療の議論は避けて通れないはずで、終末期医療の延命治療を保険適応外にするだけで話が終わるような気もする。

例えば、災害時のトリアージで、黒いタグをつけられると治療してもらえないが、それと同様にあといくばくかで死んでしまうほど重症の段階になった人も同じように考える。治療をしてもらえないというのはさすがに問題なので、保険の対象外にすれば解決するはずで、延命治療は自分でお金を払えばいいし、子ども世代が延命を望むなら子ども世代が払えばいい。

そうなると、自費で払えない人は、もう治療してもらえないことになり、論理的には理解できるが、日本で実現できるかどうかは疑問である。

④さらにそれを実現しようとすると、最強のロビーイング団体と言われている日本医師会。

頭が良くて、お金もあって、時間まである人たちの集まりの日本医師会が、反対すると思われる。

日本では医療費の7割、後期高齢者の医療費は9割公的負担だから、医者は後期高齢者に対しては9割公務員。

しかも本当の公務員と違って、患者を治療するほど儲かる仕組みだから、日本医師会がロビーイングを頑張るのはとても合理的だし、政治家や財務省も、医師会を敵に回してまで予算を圧縮しようとはしない。

高齢者の家族も、病院が面倒をみてくれるならいいと考えるので、複数のアクターがそれぞれの目線で合理的な行動を取る結果、既得権益が維持されてしまう。

⑤長期的には「高齢者ではなくて、現役世代に対する予防医療にお金を使おう」という流れになっていくはずだが、目の前に高齢者がものすごい数いるから、政治家も医者も、何千万人もいる高齢者を無視したくないし、できない。

難しいのは、1人の悪人、一つの欠陥がこの状況を招いているのではなくて、合成の誤謬の結果として社会保障の問題があり、そこに風穴を開けるのはかなり難しい。

以上のテーマが俎上（そじょう）に載せられました。

新鋭若手論客2人の対談の要点を3つにまとめると、

1. 社会保障（特に医療費）は、終末期医療、特に死の1ヶ月前に多くかかっている。
　↓「最期の1ヶ月の延命治療」をやめれば、社会保障費減額への効果が大きい。
2. 超高齢社会では、安楽死や延命治療の論議は避けて通れない。
3. 終末期医療の延命治療を保険適用外にするだけで、話が終わるような気もする。

ですが、この対談は大炎上を引き起こし、喧々囂々《けんけんごうごう》たる大論争を巻き起こしました。

この記事について考えたこと

この記事の要点をまとめると、以下のようになります。

1. 社会保障費のうち、一番費用がかかっているのが、終末期医療費、特に最期の一ヶ月である。
ここにかかる「延命治療」をやめれば社会保障費の削減に効果があるのではないか。
2. 「延命治療をやめる」のは「保険適用外」にすればいいのではないか。

3．来る「超高齢社会」では、安楽死や延命治療の論議が必要。

まず、1の「終末期医療」、「最期の1ヶ月の延命治療」をやめれば、社会保障費減額への効果が大きいという意見を皆さまは、どうお考えでしょうか。

著者は、「終末期医療」における「終末期」「延命治療」の定義をどのように定めるか、そもそも、ここから混乱が生じていると考えます。そして、「終末期医療」の定義については、「高齢者の終末期」を病状に応じて次の2つに分けて考える必要があると思っています。

タイプ1： 老化の進行＝老衰とともに、フレイル（加齢により心身が老い衰えた状態）・サルコペニア（筋肉量が減少して、筋力と身体機能が低下している状態）に陥っているケース。

タイプ2： それまで元気でふつうに生活していたのに、急に脳卒中、心筋梗塞、肺炎などの重症感染症になり、救命目的で入院して手を尽くしたけれども、残念ながら亡くなってしまったケース。

高齢患者の終末期の病状をこの2つに分けて考える必要があります。

「終末期」は「日本老年医学会」によれば、「病状が不可逆かつ進行性で、その時代に可能な限りの治療によっても病状の好転や進行の阻止が期待できなくなり、近い将来の死が不可避となった状態」と定義されています。（「高齢者の終末期の医療およびケア」に関する日本老年医学会の「立場表明」２０１２）

この定義では、タイプ1がこれに当てはまると思います。

また、末期がん患者の終末期については客観的評価が可能で、延命治療が生命を1～2週間延ばすだけの、文字通りの「延命」であることはコンセンサスが得られていますが、高齢者の終末期、特に老衰と認知症の終末期については、「近い将来」とは、どの程度の期間を指すのか、明確化されていないと、私は思っています。

人生の終焉を迎える時期のケアは、高齢化を背景に「緩和ケア」から「エンド・オブ・ライフケア」へとパラダイムシフトする時期に来ています。

「エンド・オブ・ライフケア」とは、「差し迫った死、あるいはいつかは来る死について考える人が、生が終わる時まで最善の生を生きることができるように支援すること」（千葉大学大学院看護学研究科エンド・オブ・ライフケア看護学２０１２年９月による）です。

例えば、全国老人保健施設協会加盟「老健」（介護老人保健施設）を対象に、どのような状態を終末期と捉えているかの調査を実施したところ、88％の老健が「生命予後の危機」を終末期状態と捉え、終末期の期間は1～6ヶ月と比較的長い期間を答えています（『高齢者の終末期医療　井口昭久　日本老年医学会雑誌　42巻3号　２００５年』２８６頁）。

高齢者を含む非がん患者の「エンド・オブ・ライフケア」の期間はとても主観的なのです。寿命を3～6ヶ月延ばす治療を「延命治療」と呼んでしまっていいものかどうか。

個人的には、長年の臨床体験から延命治療か否かを分ける生存期待期間を3ヶ月と考えています。

「終末期」と「延命治療」に関するさまざまな意見

イントロダクションで取り上げた若手2大論者の対談、「終末期」と「延命治療」について、メディアで見かけた意見をいくつかご紹介します。

●『「死ぬ前1か月の医療費さえ削ればよい」落合陽一氏×古市憲寿氏対談で見えた終末期医療の議論の難しさ』（市川衛　2019年1月4日Yahoo! Japanニュース）。

全体の医療費のうち、終末期医療（死亡した人）にかかった費用は1割程度にすぎません。そのほかの9割は、生存した人（終末期医療ではない人）にかけられます。

非常に乱暴な仮定ですが、仮にあと「1年で死ぬ」と予測された高齢者が完全に医療サービスを利用できなくしたとして、それで削減できる医療費は1割前後にすぎないということです。

さらに死亡前の1ヶ月に医療費を限定すれば、全体の医療費の3％程度にすぎません。

死の1～2ヶ月前から入院した「タイプ2」のケースでは、急激に医療費が増加して、何百万円～1千万円を超えることもざらではありません。

日本の医療費は令和2年度には約43兆円にも上ります（厚生労働省）。これを続けていくことはできるのでしょうか。先の対談での落合氏の「考えないと、背に腹はかえられない」という言葉通りの状況であることは間違いないと思います。

そして市川氏は、「安楽死」問題を「コスト」と関連付けていることについて、とても危惧されていましたが、著者もそう考えています。

この方向で議論を進めていく先にあるのは「生命の選別」です。

最終的には、「生産性のない人間は、社会から排除された方が良い」という意見がでてくることさえも考えられます。

●『トンデモ数字に振り回されるな　繰り返される「終末期医療が医療費を圧迫する」という議論』

（BuzzFeed News ２０１９年1月25日）

この記事は、医療経済学者・日本福祉大学相談役・名誉教授である二木立（にきりゅう）氏へのインタビューです。落合・古市対談での発言を批判する根拠としてよく引用される論文の執筆者です。

―おさらいをさせてください。先生は、「終末期医療費は高額で、医療保険財政を圧迫している」という言説は、誤りだと指摘されています。

高額医療費が医療保険や財政を破綻させるという主張は１９５０年代から繰り返されています。また終末期医療が医療費を圧迫するという言説も、１９９７年に広井良典氏らがまとめた『「福祉のターミナルケア」に関する事業報告書』から繰り返されており、特に、珍しいものではありません。

高名な経済学者である伊東光晴氏も著書『日本経済を問う』（岩波書店、２００６年）で「人間一生の医療費のうち、約半分が死の直前６ヶ月のうちに費やされる」と書き、在宅医兼作家の久坂部羊氏も『日本人の死に時』（幻冬舎新書、２００７年）で、「終末期医療費が全老人医療費の20%を占めるとか、国民１人が一生に使う医療費の約半分が、死の直前２ヶ月に使われるという報告があります」と書いています。

いずれも、恣意的なデータの解釈がなされていたり、そのようなデータを示した実証研究はなかったりして、私は「トンデモ数字」だとして批判を繰り返してきました。

（中略）

「終末期医療費」の定義は様々ですが、「死亡前1年間の医療費」と最大限広くとらえた場合でさえ、日本の老人医療費の11％に過ぎないことが明らかにされています。府川哲夫氏らが1994年に「老人医療年齢階級別分析事業」のデータを分析して算出した数字です。

しかし、「死亡前1年間」を終末期とするのは、医療者や患者、家族の実感とは合わないでしょう。日本では2000年以降は、「死亡前1ヶ月」のデータが使われるようになっています。

医療経済研究機構が2000年に発表した報告書では、全死亡者の死亡前1ヶ月間の医療費は7859億円で国民医療費のわずか3・5％に過ぎないことが明らかにされました。

厚生労働省もきちんとデータを出しているんですよ。

厚労省保険局は2005年7月、2002年度の「終末期における医療費（死亡前1ヶ月間にかかった医療費）」は約9000億円と発表しました。同年度の「医科医療費」に占める割合は3・3％に過ぎません。

この記事を読むと、終末期医療が医療費を圧迫している、という話が根拠の無い、イメージだけで語っているということが想像できます。ただ、超高齢社会が急速に進展中なので終末期医療の医療費の激増を止めることはできません。

●『日本の医療を脅かすのは高齢者や終末期患者なのか？ 落合陽一 × 古市憲寿 に思う』（医療法人社団悠翔会公式web２０１９年１月５日）

在宅療養を手厚く支援する医療法人社団悠翔会理事長・診療部長 佐々木淳先生の在宅医目線からのご意見です。

この記事ではまず、高額な終末期医療費が必要なのは若い人たちであると述べられています。

社会保障費を圧迫しているのは終末期医療費か？

（中略）

落合氏が高齢者に在宅医療を選択するよう示唆してくれているのはありがたいが、在宅医療が医療費の節約になりうるのは、日々の健康管理が適切に行われることで、予測可能な急変が回避され、救急搬送や急性期医療が最小限に抑制できた場合だ。在宅で療養していても、終末期に近づくにあたり要介護度は上がっていく。入院療養に比べて医療費は安く済むが、介護給付は増えていく。トータルの社会保障費の支出はそんなに大きくは変わらないと予想する。

いずれにしても、高齢者の最期の１ヶ月の医療を保険適応外にしたところで、社会保障費の伸びの抑制は微々たるものということは明白だ。

高齢者の終末期医療費が負担になっている、というのは前提条件として明らかに間違っている。むしろ終末期に医療費が高くなるのは、積極的治療の対象となる若い人たちであろう。

たとえば、急性心筋梗塞で緊急入院となり、開胸手術が行われ、人工心肺装置を使いながら集中治療が行われるも、結局、死亡してしまう。例えば、このような場合は死亡前の１ヶ月で１０００万円を超える医療費を使うこともある。（後略）

次に、終末期医療に対する「トリアージ（多数の病人・怪我人が居る状況で治療の優先順位を選別すること）」に対して言及されています。

「終末期に対するトリアージ」は許されるのか？

落合氏は、災害時のトリアージが国民的理解を得られているとした上で、終末期に対するトリアージを議論すべきとしている。しかし、災害時のトリアージと終末期は根本的に異なる。

（中略）

落合氏の「終末期に対するトリアージ」が意図するところは、重要な医療資源である社会保障財源が有限であるという前提において、あと1ヶ月で亡くなるであろう人たちの終末期医療に貴重な健康保険の財源を配分すべきでない、という意図だと思われるが、これは2つの意味において適切でないと考える。

1つは「終末期」という言葉の定義が、非常に曖昧なこと。

そしてもう1つは、経済力によって「いのち」という人生においてもっとも重要なもののあり様が左右されること。

「終末期」とは、以下の三つの条件を満たす場合をいうとされている。

（※「終末期医療に関するガイドライン」平成28年11月 公益社団法人全日本病院協会）

1．複数の医師が客観的な情報を基に、治療により病気の回復が期待できないと判断すること

2．患者が意識や判断力を失った場合を除き、患者・家族・医師・看護師等の関係者が納得すること

3．患者・家族・医師・看護師等の関係者が死を予測し対応を考えること

第一項「治療により病気の回復が期待できない」という定義を厳格に運用すれば、実は多くの

慢性疾患はこれに当てはまる。悪性腫瘍や神経難病のみならず、認知症や生活習慣病、老衰も治癒はしない。

しかし、患者さんの中には、自らの意思を言葉にすることができない人もいる。また世の中には社会保障に依存して生きている人たちが、「まだ生きたい」という意志をそのまま言葉にすることがはばかられるような圧力が確実に存在している。

古市氏は同じ文脈の中で、日本人は７割が安楽死に賛成しているという２０１０年の朝日新聞による世論調査の結果を引用しているが、まさにこれこそが「社会的圧力」だ。この７割の日本人のうち、どれほどの人が本当に安楽死について考えたことがあるのだろうか。自分がそのような決断を迫られる状況を想像したことがあるのだろうか。多くの人の人生の最終段階に向き合ってきた一人の在宅医として、強い疑問を感じる。

終末期において治療の差し控えを含めた選択の権利は保証されるべきだ。安楽死に関する議論もあっていいと思う。

しかし、それは、誰もが自分の本当の意思を、はっきりと表出できることが保障されているという前提が絶対に必要だ。

日本の社会は、終末期に対して、まだそこまで成熟した議論ができる状況にあるとは思えない。

そして、治療の差し控えや安楽死を議論する前に、死を選ばざるを得ないような苦痛（社会的圧力・経済的圧力を含む）を取り除くための最大限の努力がなされているべきだ。

先述したように、高齢患者には、「タイプ１」と「タイプ２」の終末期があります。「タイプ２」の心筋梗塞、脳卒中、重症感染症になった高齢患者については、救命さらに治癒できるケースも多いので、治療不要と切り捨てるわけにはいきません。これはまた、経済的な部分とも深くかかわります。同調圧力に弱い日本人ですが、みんなで冷静に議論を重ねていく必要があります。

社会保障は何のためにあるのか？

医療の役割を究極的に表現すれば、それは「延命」だ。

病気をコントロールすることで生存期間を延ばしてきた。それが医療の歴史だ。

どこまでの延命が合理的なのか、それは財源が決定するものなのだろうか。

自分自身で人生が選択できる。そして納得して生き切れる。

これこそが医療の存在意義と僕は思う。

医療がなければ生きられないという理由で、生きていく権利を脅かされることは絶対にあってはならないし、それは医療にとっては自己否定そのものだ。

財源が足りないのは事実だ。

持続可能な社会保障制度を維持するためには、当然、相応の負担が必要になる。政治家は、国民に社会保障財源の現状をわかりやすく説明し、負担と給付のバランス感覚を持ってもらえるよう努力すべきだ。長期安定政権の今こそ、タイミングとしては最適なのではないか。

支出の最適化にむけての努力と工夫も必要だ。

特に小児期の貧困や栄養・教育などへの支援は、より費用対効果が高いと考えられているが、現状の社会的支出は非常に乏しい。また、高齢患者に対するポリファーマシーや入院関連機能障害、そして望まぬ延命治療の回避など、医療面でも改善できる課題は数多く存在する。

これらは、具体的な問題提起として心に留めておく必要があります。

●『在宅医療の真実』（小豆畑丈夫、光文社、２０２１年：１２２ページ）

この本は、「在宅医療に関わる救急医の立場から見たもう一つの在宅医療」について、その問題点、改善策などを著したものです。（本書「はじめに」より）

二木立先生によれば、在宅医療を自宅で受けることで医療費・介護費が削減されるという報告はたしかにあるそうです。

それが、在宅医療が医療費のコストダウンにつながるという発想が源でした。

しかし、そのような報告をした研究者も、家族による介護を費用に含まなかったことが費用抑制効果の一つだったと認めているといいます。（『地域包括ケアと医療・ソーシャルワーク』、二木立、勁草書房、１９３９年）

つまり、「家族が自宅で介護することで働けなくなったことによる経済的損失を計算に入れないで、自宅での看護・介護が安上がりであるという論法は誤っている」ことが鋭く指摘されたのです。

超高齢社会では、終末期の高齢患者をすべて入院させるわけにはいかないので、在宅医療・在宅看取りに力が注がれています。高齢者が終末期を自宅で過ごし、在宅医療を受けることで医療費の削減になるという論調が一時ありましたが、その問題点についても考える必要があるかもしれません。

●第49回日本老年医学会学術集会記録〈シンポジウムⅢ：高齢者終末期医療：高齢者は何処へ行くのか〉３９９ページ

終末期医療でよく問題とされる経腸栄養（胃ろう）は、「延命治療」にすぎないのか否か。経腸栄養を実施した場合としない場合の医療費の比較です。

経管栄養を実施しない人には末梢静脈点滴１０００ミリリットル＋ビタミン剤を実施し、平均２ヶ月で死亡しました。

一方、経腸栄養実施者は、１年間で７万人と厚生労働省から報告されています。

その内、要介護老人の終末期に６万人が経腸栄養を実施しています。

要介護老人に経腸栄養して、１年２ヶ月で医療費は９００万円を費やしました。

一方、末梢静脈点滴のみでは２ヶ月で平均１００万円費やしました。

その差は、８００万円で、もし日本全国で実施され、経腸栄養を実行する要介護老人が半減したとすれば、６万人から３万人になり、３万人×８００万円＝２４００億円の医療費が費やされないことになります。

子どもの貧困問題とその財源

「高齢者の終末期医療」では大きな問題となっているのは、厖大な費用が注がれていること、つまりその財源です。そのしわ寄せはどこにいっているのでしょうか。

著者が今一番憂いているのは、「子どもの貧困問題」です。未来の日本を担うはずの子どもたちにお金が回らず、貧困にあえいでいる。その財源をどこに求めるかといえば、この「高齢者の終末期医療」だと、著者は考えています。佐々木淳先生もブログで書かれていたように（23ページ引用傍線部分参照）、終末期医療を見直すことは、財源という面から、子どもの貧困や教育問題につながると思うのです。

次に、子どもの貧困問題と、その費用について、考えてみたいと思います。

まずは現状について、ＮＨＫの番組から紹介します。

●「ＮＨＫスペシャル　見えない〝貧困〟〜未来を奪われる子どもたち〜」（２０１７年２月12日放映、記事３月６日公開）

この番組では、現在の日本では6人に1人の子どもが「相対的貧困」状態だと伝えています。「相対的貧困」とは、その国や地域のふつうの生活水準の中で、大多数よりも貧しい状態のことを指しています。

具体的には世帯1人あたりの手取り収入の中央値を基準として、その半分未満の場合を指す。金額にすると1人世帯では年収122万円、両親と子ども2人では244万円が基準となり、4人家族であれば月収およそ20万円以下であれば貧困状態になる。

手取り20万円と聞くと、ギリギリ生活できると思う人もいるかもしれない。しかし、それこそが「見えない貧困」と言われるゆえんだ。この「見えない貧困」を可視化するため、今年度、全国の自治体で大規模な調査が初めて行われている。なかでも全国最大規模の調査を行っているのが、大阪府だ。府によると、調査に回答したのは全43市町村の小中学生と保護者、約5万世帯。2007年1月の中間報告の段階では、相対的貧困にあたる「困窮度Ⅰ」の世帯は12・3%に上った。

困窮度とは、貧困の程度を示すための指針です。

困窮度Ⅰ群（等価可処分所得＝世帯の可処分所得を世帯の人数の平方根で割ったもの、の中央値50%未満＝親子2人世帯で月額およそ14万円以下）、困窮度Ⅱ群（同50%以上60%未満）、困窮度Ⅲ

群（同60％以上中央値未満）、中央値以上の４区分に分かれます（要出典　厚生労働統計協会）。

番組で取り上げられた大阪府の調査では、所得だけでは分かりにくい、標準的な家庭の子どもが享受しているものやサービスのうち、何を奪われているかを調べることで貧困状況の指標とする「剥奪指標」というものが利用されました。自治体によってその地域に準じた項目が挙げられているようです。（内閣府「物質的はく奪指標」）

例えば「剥奪指標」のひとつである「病院に行かせることができない」という質問では、標準的な世帯が0・6％であるのに対し、相対的貧困にあたる「困窮度Ⅰの家庭は7・7％。子どもに「新しい服や靴を買えない」という家庭は、中央値以上では2・3％に対し、困窮度Ⅰの家庭では27・6％だった。ほかにも多くの指標で困窮度Ⅰの家庭が高い結果となった。

一方、スマートフォンやタブレット機器は、困窮度Ⅰの家庭の子どもの61・5％以上が持っており、標準的な家庭を上回っている。スマートフォンは、仕事のために家を空ける時間の長い親が子どもの安全を確認するための、いわばライフラインになっているのだ。さらに「ゲーム機」「自転車」「テレビ」など、子どもどうしの付き合いやコミュニケーションに欠かせないものについては、ほとんど違いがないこともわかった。しかし、困窮度Ⅰの家庭では、子どもの知識を深めるために必要な「本」は29％が購入しておらず、部活動で使う「運動用具」も28・3％が買い与えることができていない。

調査では子どもたちから「物」だけではなく「人とのつながり」も奪われていることが分かった。家族や人とのつながりは子どもが健全に成長していくために必要な土台だ。しかし、学校から帰っても家に親がいない子どもは標準的な家庭では37・7％であるのに対し、困窮度Ⅰの家庭では50・1％。親子の大切な思い出になる「家族旅行」に行けないと答えた世帯は、困窮度Ⅰで46・2％に上っている。

（中略）

「物」や「教育・経験」などの剥奪が、子どもから自己肯定感を失わせている事も明らかになっている。

東京・大田区では、区立小学校に通うすべての5年生とその保護者を対象に、剥奪指標を用いた調査を実施。「頑張れば報われると思うか」という質問に対し、区が支援が必要だとした子どものうち、23・7％が「そう思わない」と回答。さらに、「自分は価値がある人間だと思うか」については、その半数近くが「そう思わない」と答えている。

（中略）

> 「見えない貧困」に苦しむのは小学生や中学生とその家族だけではない。千葉県内の16校が生徒のアルバイトの実態について行ったアンケート調査では、アルバイトをしている人のうち、週4日以上働いている人は半数近く。平日4時間以上働いている人も半数近くに及んでいる。その目的は「生活費のため」と答えた人が51％、「進学費用のため」が18％に上った。さらに、進学費用をどう払うかという質問に対し、親が全てを払えず、アルバイト代や奨学金で賄うという人が半数を超えた。今、大学に進学する2人に1人が奨学金を借りており、社会への入り口で子どもたちは大きな負担を背負わされている。
>
> 　子どもの相対的貧困を放置した場合、進学率が下がり非正規雇用につく可能性が高くなる。そうすると、多くの人たちの収入が減っていき、結果的に42・9兆円の社会的な損失になるという試算（日本財団）もある。負のスパイラルだ。（後略）

「子どもの貧困」が、ファストファッション、格安スマホなどの物質的な豊かさで粉飾されています。子ども本人が貧困を隠す傾向があるために、教師や周囲の大人が気づきにくい傾向もあると思います。

　剥奪指標を見ても、貧困によって、さまざまな体験や教育の機会を奪われていることがわかります。そのために自己肯定感も失われ、仕事の幅も狭まり、子どもたちのその後の人生を左右しているのです。

　高校生の貧困については、ＮＨＫスペシャル取材班、『高校生ワーキングプア「見えない貧困」

の真実』（新潮文庫、２０２０年）で詳述されています。

次に、子どもの貧困を放置することでどれくらいの損失が考えられるかという調査と、現在の国の予算について紹介します。

●日本財団：「子どもの貧困の社会的損失推計」レポート（２０１５年12月）

２０１３年の時点で15歳の子どもについて、その社会的損失を、現状（貧困を放置した）シナリオと、改善シナリオを比較したものです。１学年を調査しただけでも、経済的損失が３兆円近くなるという推計結果が出ています。

この調査では、子ども時代の経済格差が教育格差を生み、将来の所得格差につながるという想定のもと、現状を放置した場合と、子どもの教育格差を改善する対策を行った場合の2つのシナリオを比較しました。わが国では、最終学歴や正規・非正規といった就業形態による所得の格差が存在するため、教育格差が生涯所得に大きく影響します。

改善シナリオでは、現状を放置した場合に比べ、大卒者の増加や就業形態の改善によって生涯所得が増加するほか、所得増に伴い個人による税・社会保障費用の支払いが増えることで、国の財政負担がその分軽減されることになります。この差分を社会的損失として算出すると、子どもの貧困を放置した場合、わずか1学年あたりでも経済損失は約2・9兆円に達し、政府の財政負担は１・１兆円増加するという推計結果が得られました。

●国における子どもの貧困対策の取り組みについて（内閣府　子供の貧困対策担当　企画調整官　阪口理司）

平成30年（２０１８年）３月22日、アミュゼ柏　クリスタルホールで開催された「子供の貧困対策　マッチング・フォーラムin柏」での、内閣府　子供の貧困対策担当による説明資料から、「政府が実施する主な子供の貧困対策（実績及び今後の展開）」の予算部分を紹介します（資料では内訳の詳細がありますが、筆者が合算）。

政府が実施する主な子供の貧困対策（実績及び今後の展開　すべて平成30年度予算案）

教育の支援：	１６０３億円
生活の支援：	７１３億円
保護者に対する就労の支援：	３３６億円
経済的支援：	１７７８・４億円
施策の推進体制等：	１・５億円

合計　4431・9億円

過剰な延命治療をやめて貧困家庭に予算をまわしましょう
―著者の本音と提案―

フレイル（脆弱性）を有する老衰した高齢患者＝「タイプ1」の高齢患者の「予想された急変」に対して、過剰な医療行為を行う。

例えば、自分が患者なら絶対に希望しないであろう胃ろう造設、人工呼吸器管理などの延命処置を親の終末期には医療者に要求して、老衰の高齢患者をさらに苦しめる結果を惹起《じゃっき》し、患者に益よりも害を及ぼす。

高齢患者の終末期医療の現場で、よく見かける光景です。

こうした過剰な延命治療に使うお金があったら、貧困家庭の子どもに回したれや！

これが著者の本音です。

この根拠について、この章でさまざまな意見を紹介し、著者の思いもつづりましたが、ここで改めてまとめたいと思います。

ちなみに、もちろんですが、タイプ2の予測していなかった急変＝それまでふつうに生活していたのに、急に脳卒中、心筋梗塞、肺炎などの重症感染症になった高齢患者に対しては、治療の甲斐なく救命できずに亡くなってしまったとしても、医療者として全力投球、できる限りの手立てを尽くす、というのが健全な医療の姿であると考えています。

●超高齢社会の到来と医療費

２０２５年問題＝２０２５年に団塊世代が75歳を超えて後期高齢者となり、国民の３人に１人が65歳以上、５人に１人が75歳以上という人類がかつて経験したことのない未曾有の超高齢社会を迎えようとしています。

超高齢社会（総人口に占める65歳以上の割合が21％を超えた社会、日本は２００７年に突入）が急速に拡大中で、２０２２年９月19日（敬老の日）を迎えて、全国の１００歳以上の高齢者数が過去最多の９万人超えとなりました。

２０２１年の65歳以上は３６２１万人、総人口比の28・９％となり、人類歴史上かつてない超高齢社会の到来です。

そして、高齢者にかかる医療費の問題。

日本の医療費は40兆円を超え、高齢患者の死亡前１ヶ月間の医療費は、国民医療費のわずか３・５％にすぎないとはいえ、単純計算で１兆４０００億円かかることになり、今後ますます増加の一途を辿ることは明白です。

●延命治療と安楽死の問題

まず、延命治療に関する記事を紹介します。

・「延命か自然な死か」　家族に迫られる重い決断―終末期医療の現実（取材・文＝NHKスペシャル〝人生100年時代を生きる〟取材班／編集＝Yahoo！ニュース　特別編集部）

京都府立医科大学の松山匡医師は、救急搬送された全国87万7000人の高齢者について、院外心停止の状況を分析したところ、85歳以上の高齢者でいったん心肺停止になった後に人工呼吸器を外して退院できる確率はわずか0・5％だった。

（中略）

100歳以上の人口は急激に増え続けている。2018年時点で約7万人。国立社会保障・人口問題研究所の将来推計人口によると、7年後の2025年には倍近い13万3000人、2050年には、53万2000人に達する。

欧米では、キリスト教に基づいた自律尊重、個人の尊厳性を重視する個人主義が根付いていますが、日本では、「死＝無」という死生観に基づき、延命治療に重きが置かれ、老衰の高齢患者に対

しても延命治療が漫然と施されているのが実状です。

老衰の高齢患者に対する過剰な延命治療の弊害について、今まで医療者サイドからの情報発信を怠っていたわけで、医療者の怠慢とも考えられます。

（マスコミは、人工呼吸器管理・ＥＣＭＯ＝体外式膜型人工肺などの高度生命維持療法について前期高齢者を含む75歳未満の若年・初老の患者に対して使用する場合は「高度急性期医療」、80歳以上の高齢者に対して使う場合は、「延命治療」と巧みな使い分けをしています）

コロナ禍によって、「生命の選別」という言葉が人々の口の端に上るようになりました。延命治療、高齢者の終末期医療について、深く考えるきっかけになったと思います。

●「経口摂取」が困難になった時の「延命治療」

著者のライフワークは、緩和ケアです。２０１２年9月から日本の超高齢社会の先進地域の首都圏、神奈川県横浜市の急性期病院で勤務していますが、ここ10年、緩和ケアの対象患者ががん患者から高齢患者にシフトしてきました。今の仕事は、高齢患者の終末期医療とお看取りを主にした「エンド・オブ・ライフケア」となり、この10年間で４５０人ほどの患者を看取りました。

そして、「食べられなくなったら、人間、おしまいか⁉」という素朴な疑問にぶち当たり、病院ＮＳＴ（栄養サポートチーム）のチェアマンとして、高齢患者のフレイル（脆弱性）を嚥下機能障害、栄養面の２方向から探求しています。

著者の研究論文から抜粋します。
（HSOA Journal of Gerontology and Geriatric Medicine, 2021, volume 7; Issue 4, 100-105）

65歳以上の内科患者961人の嚥下能力を調べました。

入院カルテの経過表で、誤嚥予防食（キザミ・トロミ食、ペースト＝ミキサー食）摂取が5割未満の高齢患者のうち、男女の平均寿命に則り男性80歳以上と女性85歳以上の肺炎患者は、全体の56％を占めました。

彼らを対象としてさらに調べると、嚥下機能改善のリハビリ・トレーニングを施して改善する率は、男性20％以下、女性10％前後。

80歳以上の男性肺炎患者10人のうち、2・5人が在院死、4人が経口退院、3・5人は代替栄養（強制栄養）が必要でした。

85歳以上の女性肺炎患者10人のうち、1・7人が在院死、6人が経口退院で、2・3人は代替栄養（強制栄養）が必要でした。

老化による終末期の高齢患者の摂食嚥下能力は、リハビリでの改善は期待薄で、食事形態と食事介助の工夫で、経口摂取をうながすしか術がありません。

経口摂取が困難になるということは、口から水分、栄養分が取れなくなるということです。

具体的には、キザミ・トロミ食、ペースト食（ミキサー食）という誤嚥予防食の経口摂取が半分未満になってしまうこと。この時点から、人生の終末段階＝人生を詰む時期に突入し、「予想された急変」が生じる可能性が高くなります。医療者はもちろん家族も注意と覚悟が必要となります。

十分な経口摂取ができなくなった場合は栄養管理をすることになりますが、医療の現場では、人工的水分・栄養補給法（Artificial Hydration and nutrition、AHN）＝代替栄養、強制栄養とも呼ばれる方法を利用します。

AHNの種類は、ふたつに大別されます。

1.「経鼻胃管」あるいは「胃ろう」による経腸栄養法（腸管に異常がない時）：
鼻腔から胃内へ管を通す経鼻胃管は、不快感が強く、経鼻胃管でこすれた鼻腔に潰瘍ができるなどデメリットが大きいです。
胃ろう造設は、胃カメラによる手術が必要です。
高齢・男性・肺炎がリスク要因で、死亡率11・9％（国立国際医療研究センター）。

2.中心静脈カテーテルを内頸静脈、鎖骨下静脈、大腿静脈の心臓に近い太い静脈に挿入して、高カロリー輸液を行う経静脈栄養法：

手技に熟練が必要（気胸、動脈穿刺などの致命的になり得る合併症を引き起こす危険性がある）。
2週間〜1ヶ月以上、カテーテルを留置していると、カテーテル感染を生じます。

それぞれの栄養療法の生命予後について：

i　施設あるいは自宅に戻り、自然経過で様子をみる場合（1978年以前は普通だった在宅でのお看取り）＝スプーン1〜2杯の水分とゼリー少量だけで1ヶ月以内（ふつうは1〜2週間）

ii　末梢点滴（四肢からの点滴）で、2〜3ヶ月。

iii　高カロリー輸液で、6〜12ヶ月。

iv　経鼻胃管あるいは胃ろうの経腸栄養で、12〜18ヶ月。

宮岸隆司、東琢哉、赤石康弘、他　高齢者終末期における人工栄養に関する調査
日本老年医学会雑誌、44巻、2号、2007年、219〜223頁。
東北大学：　Kosaka Y, Yamada M, Nakajoh k, et al.: Prognosis of elderly patients with dysphagia in Japan. Gerontology 46: 111-112. 2000　からの引用データです。

このi〜ivの期間を「延命」と捉えるかどうかは、医療者はもちろんですが、医療に無関係な人たちの間でも、大いに意見が分かれるところです。

もちろん、個々人の価値観、人生観、死生観が色濃く反映されるので、どの選択肢が正解で、ど

の選択肢が間違いという単純な問題ではありません。

どれを選ぶか。

家族にとって「究極の選択」になる場合も多く、大いに悩んで、悔いのない選択していただくように家族に勧めています。

●結論：経口摂取が半分未満になったら「延命治療」について熟考しよう

筆者は、食べられなくなったら、つまり誤嚥予防食の経口摂取が半分未満になった時点以降に行う治療が、いわゆる延命治療にあたるのではないかと考えています。

人間は、口から栄養を取れなくなると、人工的水分・栄養補給法（AHN）と呼ばれる栄養投与法が必要になります。この時生命のロウソクの炎はだんだんと小さくなり、人生の残された時間は、カウントダウンに入ります。

この時期に突入すると、肺炎、尿路感染症などの重症感染症を惹起したり、もともとの持病が悪化します。

例えば、心臓の持病＝心不全・不整脈・虚血性心疾患、呼吸器の持病＝肺気腫・慢性閉塞性肺疾患（COPD）・間質性肺炎、慢性腎臓病（CKD）・腎不全で人工透析中など腎疾患の持病など。これらが急に悪化し、具合が悪くなって病院に担ぎ込まれた場合は、「予想された急変」と見なせます。

さらにこれらの持病を患っている高齢者は、認知症、高血圧、糖尿病を有するケースがほとんどです。

このような高齢患者、老衰の終末期の高齢者＝特に自分の親の最期に対して、自分が患者なら希望しない過剰な延命治療＝胃ろう造設、人工呼吸器管理などを医療者に要求することは、よくよく熟考していただきたいと思います。

そして、過剰な延命治療を回避することによって浮いたお金＝税金を日本の将来を背負って次世代を担う貧困の子どもたちの育成と教育にドンドン回すべきだと考えています。

2　LGBTについて

イントロダクション

イントロとして、以下の著書から、引用させてもらいます。

●『ＬＧＢＴの不都合な真実』松浦大悟 著、秀和システム、２０２１年

著者プロフィール：元参議院議員。１９６９年生まれ。
神戸学院大学卒業後、秋田放送にアナウンサーとして入社。
講演会を通して周りにゲイをカミングアウトする。
２００６年、秋田放送退社。２００７年の参院選で初当選。１期務める。

帯の言葉、「左翼運動の変形としてのＬＧＢＴ運動では社会変革はできません」

23～24頁

政治学者の中島岳志氏（１９７５年生まれ、政治学者・歴史学者、東京工業大学リベラルアーツ研究教育院教授）は、右派の全体主義について考察していますが、実は左派の全体主義につい

ても同じことがいえると書いているのです。

中島氏は著書『超国家主義（筑摩書房、２０１８年）』の中で、「統整的理念と構成的理念」について説明しています。

これはカント（イマヌエル・カント、プロイセンの哲学者、１７２４〜１８０４年）が提唱した概念で、前者は実現不可能な高次の理念、後者は実現性を前提とした理念のことをいいます。

カントはこの両者の区別こそが決定的に大切なのだと説きました。

それを踏まえて中島氏はこうおっしゃいます。

《重要なのは、統整的理念と構成的理念の位相の違いを認識することである。この両者の区別がなされず、統整的理念が構成化されたとき、壮大な暴力的悲劇が起こる。理念を阻害する人間への敵意が顕在化し、ラディカルな熱狂が社会を支配する》

中島氏が念頭に置いて書いているのは超国家主義や共産主義のことですが、私には近年のＬＧＢＴ運動のことを言っているように感じられた。

異論を許さず、自分たちこそが真理を知っているのだと急進的に現実の変革を実行しようとする彼ら。

しかし、そうした企てはすべて失敗することは歴史が証明しています。

31〜32頁　『月刊Ｈａｎａｄａ』を出版している飛鳥新社での対談から

私はまず、「保守派の誤解を解きたい」と三つの点について話しました。

１点目は、ＬＧＢＴは左派だと思われているかもしれないが、むしろ保守のほうが多いという現実についてです。

自民党本部前で行われた抗議デモをマスコミは好意的に伝えましたが、多くの当事者からは違和感の声が上がっていました。安倍政権打倒のプラカードや自民党への激しいアジ演説に対して、「杉田論文（著者注：月刊誌『新潮４５』２０１８年８月号に掲載された杉田水脈氏の論文で、彼ら彼女ら＝ＬＧＢＴは子供を作らない。つまり「生産性」がない、という発言が物議を醸しました）には抗議したいが、あれでは自民党支持の私は参加できない。「当事者の中には保守も大勢いることを知ってほしい」との思いは、最後まで取り上げられることはありませんでした。

カミングアウトせず、普通に働き、政治的な意見表明しない人々の存在を無視して、あのデモがＬＧＢＴの代表のように報じられてしまった。

ＬＧＢＴに関心を持つメディアは左派系が多いので、そこから出てくる情報にはフィルターがかかっているのです。

記者がニュースに登場させるＬＧＢＴも左派的傾きがある人ばかり。

ＬＧＢＴの中には保守の論客もいるのに絶対に表に出さない。

マイノリティの中の多様性を封じ込める空気を変えなければ議論は深まらないと思います、と述べました。

２点目は、ＬＧＢＴはジェンダーフリー論者ではないということについて申し上げました。保守の中にはＬＧＢＴは性別を破壊することを目的としていると主張される方がいるのですが、そうではありません。

逆に、性別がなくなると困る存在なのです。性愛の対象としてゲイは男性、レズビアンは女性を選ぶ。

性同一性障害の場合も、性別適合手術を受けたあとは社会に溶け込んで、男性あるいは女性として生きていきたいので、性別二元制を廃止することを望みません。

ですから手術後は周囲に気づかれないように、ＮＰＯなどの支援団体へ出席しなくなる方も多い。

62〜65頁　もっと不都合な真実

一方、歌舞伎町でさらに困惑する事件が起こっていました。アパホテルがゲイたちのハッテン場と化していたのです。

新型コロナウイルスの感染者の受け入れにいち早く名乗りを上げたアパホテルは、一般客の宿泊料も大幅に値下げして一泊２５００円としていました。

これに目をつけたのがゲイたちでした。ツイッターに投稿された写真を見ると、ホテルの入り口は大行列。

「3泊4日で計15人とやれた」「さっき露天で見せ合いした君、やらない?」といったゲイ専用ネット掲示板への書き込みを確認することができます。

廊下をパンツ一丁でうろうろする人や大浴場で性行為に及ぶ人がいるとの情報も飛び交っていました。

ネットメディアが元谷芙美子社長にインタビューしたことで、ノンケの皆さんの知るところともなりました。

当然、ゲイカップルが同じ部屋に泊まることを断れば差別です。しかし、同性愛者だからといって、共用部分での迷惑行為までもが容認されることはありません。

ところでラブホテルでは、かつてはよく男性同士の客の宿泊を拒否していました。

これは旅館業法違反なのですが、それにもかかわらずなぜ断っていたかというと、アナルセックスをしたあとのシーツには大便がついていることが多いからです。

ゲイのウケは、性行為の前に必ずシャワ浣(シャワーのヘッドを取り外し、ホースを肛門に当てて人肌の温水で直腸を洗う行為、シャワー浣腸の略)をするのがマナーなのですが、どんなに丁寧に洗浄してもウンチが出てしまうことがあるのです。

(中略)

私も以前、文藝評論家の小川榮太郎氏との対談(『月間Ｈａｎａｄａ』２０１８年１２月号)で、

「ゲイのセックス経験人数は平均でだいたい三ケタというのが私の実感」と指摘したところ、うそつき呼ばわりされました。

もちろん当てはまらない人はいるでしょう。

しかしこれは、ゲイの一生涯の累計として学術的にも妥当な数字です。

東大の三浦俊彦教授は論説で、ゲイの性交渉人数は平均５００人だとする米国の心理学者の推定を紹介。

サンフランシスコのパイオニア的調査ではゲイの75パーセントが１００人以上、27パーセントが１千人以上で、レズビアンは大半が10人未満だったといいます。

統計をとると男性は女性よりも性体験が豊富なことが分かっていますが、この傾向は同性愛者であっても変わりません。

ゲイは男性的性欲に従い、レズビアンは愛するパートナーとの安定した関係を持ちたがる。

ゲイ男性同士は男女のカップルよりも性交合意のハードルが低いので数が増えるのは自然なのだ、と。

そして三浦氏は、これは偏見でも差別でも暴言でもないと説きます。

（中略）

なぜ、ＬＧＢＴ活動家はゲイの性愛を語ることを嫌うのでしょうか。

そもそも「性的指向とエロスは関係ない」とのロジックは、性愛を忌むキリスト教圏で同性愛を正当化するために作られた方便である。ところが、わが国のＬＧＢＴ運動は、歴史的経緯の違う欧米理論をそのまま輸入してしまった。

その結果、事情を知らない若い活動家は同性愛を高尚で美しい恋愛パートナーの話なのだと真に受けてしまったのです。

つまりネタがベタになったというわけです。

そうした彼らの純愛信仰は、裏を返せば内なるホモフォビア（同性愛嫌悪）の表出だといえます。

性欲を忌避するＬＧＢＴ活動家は、本当の社会的弱者の声をすくい上げることをしません。

82～86頁　アメリカの保守派は同性婚についてどう考えているのか
動物婚、多重婚等の線引きの難しさ

財務省を経てハーバード大学で学び、日米両国の弁護士資格を持つ山口真由氏は、連邦最高裁での同性婚訴訟を分析し、大きく三つの理由があるとまとめています。（『リベラルという病』、新潮新書、２０１７年）。
①結婚を生殖から切り離してしまうともはや歯止めが利かない。
②「政府からの自由」は広く認められるべきだが、「政府による自由」を認めるのは慎重であるべき。
そして同性婚は「政府による自由」に分類される。

③いかに結論として正しく見えても、裁判官の正義ではなくて法律に基づいて結論を出すのが、我々の役目である。

まず①についてですが、これは同性婚訴訟で反対を表明したロバーツ長官の意見です。
ロバーツ氏は、もともと結婚とは生殖にひもづいたものだったと説明します。
《生物的な観点からは、男女二人、それだけが子どもを作ることができる組み合わせである。
同性婚を認めることで結婚と生殖の結びつきを切ってしまえば、多重婚（１人が複数人と結婚する形式）を止める理由もなくなってしまう。極端な話、愛するペットとだって、アニメのキャラクターとだって、「純粋な愛」さえあれば結婚できることになりかねない》というのです。

このロバーツ長官の発言を聞いた多くのリベラリストは、腹を抱えて笑い転げました。
日本でも「ウケる！　そんなバカなことがあるわけない」とＬＧＢＴ活動家たちは全面否定しました。だが現実を知らないのは彼らのほうでした。

たとえば動物との結婚については、２０１９年の開高健ノンフィクション賞に輝いた『聖なるズー』（濱野ちひろ著、集英社、２０１７年）に詳しく載っています。

（中略）

さて次は、リベラル派がバカにしていた多重婚の可能性についてはどうでしょうか。

哲学者の萱野稔人（かやのとしひと）氏は、アメリカで同性婚合憲化以降、重婚も認めてほしいとの要求が出てきたことを報告しています（『リベラリズムの終わり―その限界と未来』、幻冬舎新書、２０１９年）。

　アメリカにはモルモン原理主義者を中心に一夫多妻生活を実践している人たちが約３万～４万人おり、その中から真剣に結婚の自由を訴える世代が登場し始めているのです。

　萱野氏は「他人に危害が及ばない限り社会は各人の自由に干渉してはならない」というリベラリズムの原理を突き詰めれば、同性婚だけ認めて本人の自由意志のもとでなされる一夫多妻婚や一妻多夫婚、近親婚を容認しないことはできないと断言します。リベラル派の人たちがこれらから目を背けるのは、思考の不徹底以外の何ものでもないということです。

１６１頁

性別適合手術を受けなくても本人の性自認の申告だけで性別変更可能になるという海外の事例を紹介したうえで、そのような法律ができてしまうとどうなるかという将来予測として議論しているのが分かると思います。

　その上で野党のＬＧＢＴ差別解消法に基づくと、男性器がついていても、性自認が女性だと言っている者があれば、女性更衣室や温泉に入ることができる、そういう人を拒否すればそれは法的な扱いとして差別とされてしまう、という問題提起をしているのです。

　私が「男性器がついている女性だと言っている人」と発言していることに注目してください。

これには二通りの意味があり得ます。
①真のトランス女性
②トランス女性を装った女装家男性
※トランス女性とは、生まれた時に割り当てられた性別は男性だが、性自認は女性である人のことです。見た目はおじさんから女性に見える方までさまざま。
　性別適合手術が求められずに自己申告のみで性別を変更可能な世の中になった場合、両者はどうやって、どの時点で判別すれば好いのでしょうか？

　以上で、『ＬＧＢＴの不都合な真実』からの引用を終了します。

　まず初めにゲイであることをカミングアウトして、その実態を詳述された松浦大悟氏の勇気を称えます。

　ゲイの世界については、ノンケの著者の想像を超える異世界ですが、ＬＧＢＴ運動は左翼運動の変形という意見には、賛成です。

　人間の三大欲望である食欲・眠欲・性欲のひとつの性欲ならびに性行為といった根源的本質を避けたＬＧＢＴ賛美論には、疑念を抱いています。

　また「愛」さえあれば、多重婚、動物との結婚も可能という行き過ぎた自由までをも法律で認めることは大変危険である、と考えています。

しかし、ダイバーシティの時代なので、少数派の意見を頭から否定して自分の正義を振りかざすのではなく、ＬＧＢＴ問題を多角的に論じていきたいと思います。

ＬＧＢＴが巻き起こした事件を紹介します。

アメリカ、イギリスで起きたとんでもない事件

（1）「体は男性の女性」が女湯入浴で乱闘に発展した「ロス暴動」

ｎｅｗｓ ポストセブン（news-postseven.com）2021.07.09 NEWSポストセブン
２０２１年６月24日のインスタグラムにアップされたトランスジェンダーのスパ利用事件。
韓国人が密集するロサンゼルスのコリアタウンにあるサウナ「Ｗｉ ＳＰＡ」で起きた事件を高濱賛氏（在米ジャーナリスト）の記事から引用します。

> 「Ｗｉ ＳＰＡ」はいかがわしい店ではなくて高級感あるサウナで、ミネラルソルト・マッサージやハイドロ皮膚剥離（いわゆる垢すり）といった韓国式マッサージが白人セレブにも大いに人気があります。
> ６月24日、店を予約したトランスジェンダー（性転換者）を自称する「身体は男性」の客がやって来て、「女湯はどちら？」と当然のごとく入っていったことから騒動が始まりました。
> 韓国人従業員は、「性別、宗教、人種を問わず、いかなる差別もしてはならない」というカリフォ

ルニア州法第51条を忠実に守って入浴を許可しました。

ところが数分後、６歳の少女を連れて入浴していた女性が血相を変えてフロントにすっ飛んできて、「あの人、男よ。女じゃないわ。この店では男を女湯に入れるの？

小さな女の子の前でおちんちんを見せびらかしているのよ！　なんとかしてちょうだい！」

と訴えました。

男性従業員は少しも慌てず、「この街にはありとあらゆる人が住んでおり、トランスジェンダーの方もおられます。当店は州法に従って応対させていただいております」と女性の訴えを退けました。

怒りが収まらない女性は、ただちにインスタグラムに投稿。

両者のやり取りを撮影していた他の客も動画をＳＮＳに流したことから、「事件」は一瞬のうちに全米に拡散しました。

（著者注：ただし、男性器がついている自称トランスジェンダー女性が本当にスパにいたのかどうかは不明で、現地メディアがロス市警関係者による「該当する人物はいなかった」というコメントを報じており、デマ・ねつ造疑惑も指摘されています）

ＬＧＢＴ団体に属するトランスジェンダーたちは、抗議した女性客に対する店の対応は甘かったと抗議し始めましたが、サウナ側は「法律は遵守している」として、対応には問題がなかったと主張しました。

すると、ＬＧＢＴ団体は、１週間後の７月３日に大規模な抗議デモを行うと宣言。

「トランスジェンダー連合」のバンビイ・セケドＣＥＯはネット上で攻撃を開始しました。

「この女性客の意地の悪い言い分はまさに氷山の一角。

われわれトランスジェンダーはこうした屈辱を日常茶飯事で体験している。

われわれに対する無知と偏見からくる差別以外の何物でもない」

それに対して、反ＬＧＢＴを掲げるＱアノンやエバンジェリカルズ（キリスト教福音派）は、店の対応は十分だったと支持しました。

迎えたデモ当日。

数十人のＬＧＢＴ支持者が「トランスジェンダーの女性は女性だ」と書かれたプラカードを掲げて集会を始めようとしたところに、トランプ支持で有名になった超保守派のＱアノンが、忍者のような全身黒ずくめ姿で武装して乱入。大乱闘の流血事件になりました。

防戦するデモ隊は素手で立ち向かいましたが、相手は乱闘慣れしているツワモノばかりで、警察が駆けつけるまでに数人がけがをしたと地元テレビは報じています。

「性適合手術を受けていないトランスジェンダー」は女湯に入る権利があるのか。

折りしも米最高裁は５日、性転換した高校生が学校の女性用トイレを使えるか否か、その判断は個々人の選択に委ねるべきだ、との判決を下しています。

性的マイノリティが、トイレ、更衣室、風呂で男女用どちらを使うかは自分で決めなさい、という判決でした。

「トイレなどでトランスジェンダーの13％がセクハラを受けているという統計があるにもかかわらず、無責任な判決だ」（ＬＧＢＴＱ関係者）との声もあります。

地元有力紙、ロサンゼルス・タイムズは6日、「トランスジェンダーにはサウナの客になる権利がある」と主張する社説を掲載。〈他の客が不愉快だ、というのであれば、陰部を隠せばいい。この種の論争はそろそろ終わりにしていい。今の若者たちは、性別とか性的指向の異なる人たちと同じスペースを共有することを快適だと思っている〉

一方、トランプ前大統領の「影のアドバイザー」ともいわれたＦＯＸニュースの人気キャスター、タッカー・カールソン氏は、6月28日の番組で現場記者の報告を引用して、「女の子の前で男根を露出する間抜けな客にトランスジェンダー・コミュニティーはぞっとしている」と報じました。

風俗事情に詳しい米タブロイド紙の女性ベテラン記者はこう言い切ります。

「今やフリーセックスが当たり前のアメリカで、混浴を嫌がる恰好つけは無用です。

トランスジェンダーの女性にペニスがあろうとなかろうと、それほど問題ではないはずです。

もっとも今回の事件では、マッサージを隠れ蓑に売春をしている悪徳コリアン業者たちまで正義の味方ぶることには、違和感を感じますけどね」

『右派と左派を巻き込んだ性的マイノリティの権利問題に、民族的な憎悪も絡む複雑な事件で、円満な解決はほど遠いようだ』というのが高濱賛氏の結論でした。

（2）2018・10・13【英国発】news from nowhere

トランスジェンダーの受刑者、女性刑務所で性暴行：カレン・ホワイトのケースから引用します。


イギリスでトランスジェンダーとして自らを女性だと主張し、女性用刑務所に収監されていたカレン・ホワイトが、収監中に他の女性受刑者２人に性暴行をはたらき、無期懲役の刑を受けました。

この事件はトランスジェンダーの受刑者をどのように扱うべきかという難問を投げかけました。

自らをカレン・ホワイトと名乗るトランスジェンダーは、52歳。

男性として生まれ、出生時の名前はスティーブン・テレンス・ウッドですが、その後クリストファー・ウッドと名乗るようになりました。

２００１年にまだクリストファー・ウッドとして知られている時、小学生の子どもに性暴行をはたらいたとして18ヶ月刑務所に入りました。

２００３年には妊娠２ヶ月の女性の飲み物にウォッカを入れて意識がなくなった時にレイプしました。また、２０１６年には20代の女性を複数回レイプしています。

しかし、この２つの犯行については、２０１７年に刑務所に入ってから、被害者の通報で明るみに出ました。

その後、ウエスト・ヨークシャーの公営住宅に住んでいた時に自らをカレン・ホワイトと名乗り出し、トランスジェンダーとして扱われることを求めました。

その頃のホワイトは、隣近所に暴力や暴言を吐くことで恐れられていました。

近所の人たちの証言によると、他にも１人トランスジェンダーの女性がいてコミュニティーに溶け込んでいたので、ホワイトがトランスジェンダーであること自体は、問題なかったといいます。

けれども、ホワイトは周りの人に、ことあるごとにヘイト・クライムをしているとののしり続け、そのうち暴力を振るうようになりました。

カレン・ホワイトの収監

そんなある日、ホワイトは自分に性暴行をはたらいたと言って年配の男性をステーキナイフで数回刺しました。

この犯罪で逮捕されて２０１７年に刑務所に入った時、ホワイトは自分が女性であると主張しました。

その時のホワイトは、ブロンドのヘア、メークアップして女性の服装でした。

ホワイトの主張は受け入れられ、女性用の刑務所であるウエスト・ヨークシャーのニューホール刑務所に収監されました。

女性になるための性転換手術は受けていなかったにもかかわらずです。

その頃、法務省はトランスジェンダーの受刑者について新しい政策を導入したばかりでした。

それ以前はトランスジェンダーを認めるためには医療上の診断から性別違和（ジェンダー・ディ

スフォリア、性同一性障害）の診断が必要だったのですが、新しい政策は、受刑者が自分自身のジェンダーを定義し、それに従って扱うというものです。

というのも、その直前に男性刑務所でトランスジェンダーの受刑者が２人自殺するという事件があったばかりで、収監されているトランスジェンダーを保護するべきだという批判が起こったからです。

この２人の受刑者は、ともに女性用刑務所に収監されることを希望していましたが、男性用刑務所に送られ、精神的な苦痛を受けていたということです。

ホワイトは２０１７年９月に女性用刑務所に収監されてから３ヶ月の間に、他の受刑者の女性２人に性的暴行をはたらきました。

法務省はのちにこの事件について、ホワイトを女性刑務所に送ったことが適切でなかったとして謝罪し、現在ホワイトはカテゴリーＢの男性用刑務所であるリーズ刑務所に入っています。

トランスジェンダーの刑務所での扱い

トランスジェンダーを刑務所に送る場合、男女どちらの刑務所に入れるべきなのかは難しい問題ですが、イギリスではどのようにして決めているのでしょうか。

トランスジェンダー権利団体のＴｒａｎｓｆｏｒｕｍのジェニー・アン・ビショップによると、ホワイトのようなトランスジェンダーが逮捕された場合、男女どちらの刑務所に送るかを決定するのに、３段階の決定方法があるということです。

まず、拘留後3日のうちに、その地域のトランスジェンダー委員会（刑務所管理職員、心理学者からなる）が、どの刑務所に送るべきかを決めます。

この委員会は受刑者の意見を聞いた上で、そのリスクや受刑者が自らを定義するジェンダーとして生活を送ってきたかどうかを考慮し、受刑者をどちらのジェンダーとして扱うかを決定します。

もしこの委員会の決定に疑問を示すものがあれば、地域の審査会がすべてのエビデンスを再度検討することになります。

そして第3段階として、「複雑事件委員会」が設けられることもあります。

これは、21歳以下の受刑者、または受刑者自身及び他人に害を加えるリスクがあると考えられる受刑者の場合に導入される方法です。

ホワイトの場合、女性刑務所に入れる決断は、最初の段階である地域のトランスジェンダー委員会のみでなされました。

ビショップによると、ホワイトの過去の犯罪歴を考慮に入れるべきだったといいます。

けれども、ホワイトが「男性に性暴行を受けたからナイフで刺した」と言って「女性として」逮捕された時には、過去に女性をレイプしたことはまだ明るみに出ていなかったこともあり、女性として扱うことになりました。

ホワイトは、性転換手術は受けておらず、身体的には男性のままでした。

トランスジェンダーの受刑者はどれくらいいるのか

２０１７年のイギリス政府の統計によると、今現在イングランドとウエールズにトランスジェンダーは受刑者合計８万５５１０人のうち、１５２人はいるそうですが、実際はもっとたくさんいるのではないかと推測されています。

今回のホワイトのような事件が起こったことで、トランスジェンダーの受刑者の扱い方には、これまで以上に注意が必要だとして法務省は今後の政策を検討していくとしています。

（3）子どもの性転換急ぐ医師　認めねば「自殺」と親に迫る　山崎洋介　2021/11/26（金）アメリカLGBT事情／北米・中南米（5）

２０２１年10月８日、米ワシントン郊外で開催された保守派団体のイベントで、自閉症の息子に対するジェンダークリニックの対応を批判した父親のブレントン・ネッツさん、という山崎洋介氏の記事から引用します。

米中西部ミシガン州在住で、自閉症を抱えるマイルズ君の父親、ブレントン・ネッツさんは、ある日、当時８歳だった息子のカウンセリング記録を見て衝撃を受けました。

その中で、ジェンダークリニックの医師は「マイルズは自らをレズビアンだと伝えた」「マイルズは自分がトランス女性だと伝えた」と記述。

さらにマイルズ君に「マイリー」という新たな女性名をつけていました。

しかし、ネッツさんは、マイルズ君が自らの意思でこうした判断をしたとは思えませんでした。

「大人から信じ込ませられない限り、自閉症の幼い少年が自発的にトランスジェンダーのレズビアンだと自認することなどあり得ない」


ワシントン郊外で先月開催された保守派団体のイベントで体験を語ったネッツさんは、強い憤りをあらわにしました。

ネッツさんによると、その医師はこれにとどまらず、思春期の変化を抑制する「第二次性徴遮断薬」の処方が可能かどうかを判断するため、マイルズ君の陰毛の量を調べるなどしていました。

さらに次の段階の性ホルモン剤の処方や性転換手術も検討していたということです。

6月に公開されたドキュメンタリー映画『トランス・ミッション――なぜ性適合治療を急ぐのか?』（生命倫理・文化ネットワークセンター制作）では、子どもが希望する性への移行を受け入れるべきだとする風潮が強まる中、性急な性適合治療に疑問を持ち、孤立する親たちの苦悩が取り上げられています。

「もし娘さんの性自認を認め、必要な手助けをしなければ、彼女は自殺し、あなたはひどい罪悪感を覚えることになるだろう」

映画に登場するバリさんという母親は、両親の離婚や男子生徒による性的嫌がらせを体験したことなどが原因で、娘は男性になりたいという願望を生み出したと考えており、まず精神面の問題に対処すべきだと、米メディアに語っています。

しかし、こうした考えを持つ親は、強い圧力にさらされています。

映画によると、医師から「生きた息子と死んだ娘のどちらがよいのか」などと、子どもが自殺するという最悪の事態を避けるために性適合治療への支持を迫られるケースが相次いでいます。

しかし、実際には、その効果に明確な根拠はありません。

英国では、国立医療技術評価機構（ＮＩＣＥ）が３月、第二次性徴遮断薬に関する既存の研究には、バイアスがかかっていると指摘。

第二次性徴遮断薬がトランスジェンダーの精神的苦痛を改善する効果については、「非常に低い確実性」と結論づけました。

さらに第二次性徴遮断薬の骨や脳の発達への悪影響、妊娠能力の低下という副作用も懸念されています。

にもかかわらず、医師たちが一方的な診断をするのは、なぜでしょうか。

映画に登場する専門家は、第二次性徴遮断薬の市場が近年、急速に拡大し、巨大な利益を生み出していることが背景にあると語っています。

また、子どもの頃に性適合治療を始めれば、その後も検査などで長期的な顧客となることが、医師にとってインセンティブとして働いていると指摘しています。

一方、南部アーカンソー州は４月、「思春期の子どもを実験から守る」として、米国の州で初めて18歳未満への性適合治療を禁止する法律を成立させました。

米メディアによると、同様の法案が他の19州で提出されています。

離婚した元妻と共同親権を持つネッツさんは、法廷闘争の末、マイルズ君がクリニックで性適合治療を受けることを妨げる裁判所命令を勝ち取りました。

日本の場合

（1）ＰＲＩＤＥ ＪＡＰＡＮ　ニュース　２０２１年５月

経産省トランス女性職員の控訴審判決で、高裁がトイレ利用制限の違法性を認めず。

職員は「ずさんな判決」だとして上告の意向。

DATE：2021/05/28、CATEGORY：内外のＬＧＢＴ情勢　から引用します。


経済産業省職員で、健康上の理由で性別適合手術を受けられず、戸籍上は男性のままのトランス女性が、女性トイレの利用を不当に制限されたり、上司に「男性に戻ったら？」などと言われ精神的苦痛から鬱《うつ》を患ったとして国に処遇改善などを求めていた訴訟の控訴審判決が27日、東京高裁で言い渡され、北澤純一裁判長は、一審の判決を覆し、経産省のトイレ利用制限の対応は「不合理と言えない（適法である）」と判断しました。

職員は男性として入省後、性同一性障害と診断されましたが、健康上の理由で性別適合手術を受けられず、戸籍上は男性のまま、女性として生活しています。

２０１０年に上司から女性として勤務することを了承され、翌年には戸籍の名前も女性名に変更しています。

しかし、執務室から2階以上離れた女性トイレを使うよう求められ、トイレの使用制限などをなくすよう人事院に求めましたが、認められませんでした。

経産省は、彼女が手術を受けず戸籍上の性別を変更していないことを理由に、硬直的な対応に終始。

また、２０１１年、性別適合手術を受けて戸籍上の性別を変更しなければ異動できないと告げられました。

人事院と協議すると、性別変更手続きをしないのであれば異動先で自身が戸籍上は男性であるとの説明会を開け、そうでない場合は女性用トイレの使用は認めないと言われました（カミングアウトを強制）。

上司からは「もう男に戻ってはどうか」などと言われるＳＯＧＩハラ（Sexual Orientation and Gender Identity ＝ 性的指向及び性自認についてのハラスメント、ソジハラあるいはソギハラと読む）被害に遭い、精神的に追い詰められ、鬱《うつ》を患って約1年半の病気休職を余儀なくされました。

２０１５年11月に「女性としての勤務実績を積み、同僚のクレームもない。トイレの使用制限は、女性として社会生活を送る利益を保障する人格権を侵害している」「他の女性と平等に扱われるべきだ」として処遇改善と損害賠償を求め、国を提訴しました。２０１９年

12月に出された一審の東京地裁判決では、「個人の人格的な生存と密接かつ不可分のもの」であるとし、「個人が自認する性別に即した社会生活を送ることは、重要な法的利益であり、国家賠償法上も保護される」とし、「トイレは日常的に必ず使用しなければいけない施設であり、経産省の原告女性への対応は、重要な法的利益を制約する」ものだと判断して、「他の女性職員とのトラブルを避けるため」とする国の主張を退け、「直ちにトイレの使用制限が許容されるものではなく、具体的な事情や社会的状況の変化を踏まえて判断すべきだ」として、使用制限は正当化できず、経産省の対応は違法であると判断、１３２万円の賠償を命じました。

性的マイノリティの職場環境改善をめぐって下された初の司法判断であり、画期的な判決でした。

（中略）

一審判決後、双方が控訴しました。

国側は対応に問題はなかったとして、原告側は、一審で一部しか認められなかった行政措置要求判定の全面取消と、また、一審で国が提出した証拠により、経産省が女子トイレ利用をめぐって意見聴取を行なった際、同僚２人に職員が性同一性障害者であることをアウティングしていたことが発覚したため、プライバシー侵害の慰謝料も追加請求しました。

しかし、二審・東京高裁の北澤裁判長は、「自らの性自認に基づいた性別で社会生活を送ることは法律上、保護された利益である」と指摘した一方、経産省が行なった女性トイレの使用制限については、「経産省としては、他の職員の性的羞恥心や性的不安などの性的利益を考慮し、原告を含む全職員にとっての適切な職場環境を構築する責任を負っている」

「事業主の判断で先進的な取り組みがしやすい民間企業とは事情が異なる経産省において、経産省が積極的に対応策を検討した結果、関係者の対話と調整を通じて決められたもので、原告も納得して受け入れていた」

「裁量権の範囲を逸脱し、またはその乱用があったとはいえない」と述べました。

上司の「なかなか手術を受けないんだったら、もう男に戻ってはどうか」という発言についてのみ違法であると認定し、11万円の賠償を命じました。

国側のアウティングについては、「原告の要望事項に対応するために実施されたもの」とし、国家賠償法上の違法性を認めませんでした。

（２）お茶の水女子大のケース Ｎｅｗｓ 公開 ２０２１年４月28日

２０２０年度から戸籍上は男性のトランスジェンダー学生の受け入れが開始されたお茶の水女子大学の取材。

Kako Yoshihara　吉原 賀子 BuzzFeed News Intern, Japan から引用します。

> お茶の水女子大学（東京都文京区）は２０２０年度から、トランスジェンダー学生の受け入れを開始しました。
>
> 「日本初」の試みで、大学は、「自身の性自認に基づき、女子大学で学ぶことを希望する人（戸籍又はパスポート上、男性であっても性自認が女性であるトランスジェンダー学生）を受け入れ

る」と説明しています。

（中略）

２０１８年に大学のウェブサイトに掲載した「トランスジェンダー学生の受け入れについて」では、そのような判断に至った経緯や目的について、こう記しています。

これは、「学ぶ意欲のあるすべての女性にとって、真摯な夢の実現の場として存在する」という国立大学法人としての本学のミッション（２００４年制定）に基づき、判断したものです。

（中略）

「戸籍上の性別が女性であること」を入学資格としていた女子大学が、「多様な女性」の受験・入学を認めました。

在学生や受験生の反応は？

トランスジェンダー学生の受け入れ開始から約１年経った現在、在学生や受験生はどのような反応を示しているのでしょうか。大学の担当者は取材に対し、「受け入れそのものについて、否定的な意見はありません」と話しています。

トイレや更衣室など施設の利用は？

実際の利用に関しては、学生本人や周囲の状況から「女子トイレを使用することが適切であれば」女子トイレを使用することも可能とし、そのほかに学内には「だれでもトイレ」が15箇所、設置されています。

　体育館には、個室仕様の更衣室も整備され、人目を気にせず着替えることもできます。

担当者は、「これはトランスジェンダー学生だけではなく、人前で着替えをしたくないなどの事情がある全ての方にとって、意味があることと考えています」と話します。


（中略）


「ＢｕｚｚＦｅｅｄＮｅｗｓ」は、臨床心理学やジェンダー、セクシュアリティが専門の石丸径一郎・お茶の水女子大学准教授にも取材しました。

　石丸准教授は、トランスジェンダー学生の受け入れについて、「学生支援機構から２０１８年に性的指向・性自認の多様性についての啓発資料が出ておりますし、受け入れを開始する女子大学は増えていくと思います」と発言しています。

　実際に、２０２０年からお茶の水女子大学で受け入れが始まって以降、奈良女子大学や日本女子大学など、トランスジェンダー学生の受け入れの動きが広まっています。

　対応ガイドラインでは、「周囲の対応について」という項目で、「カミングアウト」や「アウティング」について説明されています。

「カミングアウト」とは、自身のセクシュアリティやジェンダーについて打ち明けることを指し、「アウティング」は、打ち明けられたことを本人の了承なしに周囲の人に暴露することです。

ガイドラインでその項目が記載されている理由について石丸准教授は、「同じ東京都の国立大学である一橋大学にて、アウティングについての事案があり、重要なトピックだと考えて明記しました」と説明しました。

一橋大学では２０１５年６月にゲイであることを同級生から暴露され、それを機に心身に不調を来し、同年８月にキャンパス内の建物から転落死したという事件が起こりました。

アウティングによって学生が傷つくような事件が二度と起こらないよう、お茶の水女子大学では、すべての学生や教職員に向けて説明がなされています。

（3）最近の日本の事件

２０２２年１月12日のＡＢＥＭＡ的ニュース、「口ではなんぼでも言える」からの引用です。

「女湯や女子トイレで〝なりすまし〟偽ジェンダー問題に怒りと戸惑いの声「心の性別より体の性別に合った使い方でトラブル回避を」などの意見も」、という記事がありました。

２０２２年１月６日、大阪府堺市西区で無職の48歳男性がスーパー銭湯の女湯に女装し侵入した疑いで書類送検されました。男性は去年９月、女装して女湯に侵入。透明の防水フィルムを体に貼るなどして、堂々と入浴していました。

（中略）

この男性、後日警察で行われた任意聴取にミニスカート姿で現れると、「心は女」など当初は自分がトランスジェンダーであることを装っていました。

> その後男性は「ＬＧＢＴではない。女装が趣味。女湯に入り完成度を確認したかった」などと供述を変え、「女装している自分に興奮する」と話しています。
>
> 「戸籍上は男性だが、女性と認められている気がして女性用トイレに入った」
>
> ２０２１年５月、大阪市内の女性用トイレに「性自認は女性のトランスジェンダー」という利用客が女装した状態で使用。
>
> 他の女性利用客から「女性の服を着た男性がトイレを使っていて怖くて利用できない」と施設に苦情が入りました。
>
> （中略）
>
> 警察が事情を聴いたところ「戸籍上は男性なのでダメだと分かっていたが、女性と認められている気がして女性用トイレに入った」と話していたといいます。
>
> 女装した利用客は普段、職場では男性として働いていますが、休日は女性の服を着て外出していました。

手術はしないけれども性自認は女性の男性生殖器を持つ男性が、女湯や女子トイレに入って、男性生殖器を露出することが「人権」で、それに異を唱えることが「差別」とみなされてしまう法律。

痴漢行為をしても、男性が「自分の性自認は女性」と主張すれば、咎めることが「差別」で、「人権侵害」になる法律。

こんな法律は、絶対に作ってはいけないと思います。

ＬＧＢＴの議論＝男と女の問題、何も近現代の問題ではなく、長い歴史と文化、生物学的な問題もはらんでおり、多角的視点から考えていきます。

性別の歴史

（1）性別の発生＝生物学的な見地から

どうして人間は、男性、女性という2性に分かれているのかという問題は、難問です。生物誕生から20億年。

大腸菌やアメーバ、さらに植物のような「一倍体生物」＝遺伝子を1セットだけ持つ生物が誕生して、自己複製能力を持つ生命が生まれました。

それから、人間を含む動物のように遺伝子のセットを2つ持つ「二倍体生物」が誕生して、性別ができました。

ヒトを含む二倍体生物は、雄と雌が協力して個体を増やします。

雄と雌は、それぞれ自分の持つ2セットの遺伝子をまぜこぜにして、そこから1セット分の遺伝子を生殖細胞（精子と卵子）に収めます。

両親の生殖細胞が出会うと、２セット分の遺伝子を持つ子＝個体が誕生しますが、こうして生まれた子の遺伝子セットは、他の誰とも違う組成を持つことになります。

その結果、二倍体生物の遺伝子セットのバリエーションが豊富になり、温度、病気に対する抵抗力に差ができて、環境が一変した場合に生物種が全滅してしまう可能性を低くすることができます。

遺伝子学的見地から見ると、両性交配の方が種の保存に有利だから、人間は男性と女性に分かれているといえます。

俗に「ふたなり」と呼ばれる半陰陽、見かけ上、男と女の性器の両方を持つ人間は、実際に過去の世界でも生まれ、現代でも医学的に時々お目にかかる病気です。

昔は、そんな肉体的に奇形の赤ん坊は、神の摂理に反する「神の怒り」の徴（しるし）と見なされ、生まれ落ちるとすぐに間引かれるという習慣がありました。

そもそも医学的、発生学的にみて、男と女の外性器の原型は、もともといっしょです。

そして人間の性は、基本的に女性の方に流れていこうとします。

人間には遺伝子が46個、23対あって、そのうちの１組が性染色体と呼ばれ、性染色体は、男ではＸＹ、女ではＸＸです。

この男のＹ染色体の作用のおかげで、人間は男性へと分化することができます。

Ｙ染色体のおかげで男にはウォルフ管というものができて、男性化して、ウォルフ管が精嚢《せいのう》や精管になります。

この作用がないと、ミュラー管という女の管が発達して、卵管や子宮ができて、女性化します。

発生学的に女性のクリトリスは、男性のペニスの先の陰茎亀頭と陰茎海綿体に、陰嚢《いんのう》の皮膚は女性の大陰唇、陰茎の皮膚は女性の小陰唇に相当します。

男性の左右の陰嚢の間、ペニスの下の正中＝ど真ん中には線が入っていて、この真下に尿道が走っていますが、女性の発生の途中では、この部分は裂けたままで癒合せず、左右が引っつかずに、そこが女性の膣の出入口になります。

この男性化が中途半端だと、「ふたなり」になります。

男性の「ふたなり」の場合、ペニスそのものも小さくて、尿道、ペニスの下の皮膚が裂けていて、女性のあそこのような形になります
また逆に女性に男性化が起こると、クリトリスが大きくなってペニスの先っぽ、小さなペニスのようになることがあります。

今でこそ遺伝子を調べれば、すぐに男女の区別がつくようになりましたが、そんなことができるようになったのは、第二次世界大戦後のことで、昔は女子として育てられてきて、生理がないので詳しく調べてみたら医学的には男だったということが、ままありました。

次に欧米の神話とキリスト教の観点から、性別の歴史を考えます。

（2）アンドロギュヌス（両性具有者）について

「アンドロギュヌス」＝両性具有者という言葉があります。

オノレ・ド・バルザック（１７９９〜１８５０年）というフランスの有名な作家の作品、『セラフィータ』。

これは両性具有の最高天使、熾天使セラフィムをモデルにした作品で、そもそも天使は、両性具有者と考えられ、新約聖書でこういう場面があります。

来世を信じないサドカイ派の人たちが、次々と死んでいった７人兄弟と結婚を重ねた未亡人が死んで天国に行ったら、この７人のうちの誰が未亡人の夫になるのかとイエス・キリストに意地悪な質問をする場面です。

（マタイ伝福音書第二二章二三〜二八節、ルカ伝福音書第二〇章二七〜三三節）

これに対してイエス・キリストは、「復活の時には、彼らはめとったり、とついだりすることはない。彼らは天にいる御使のようなものである」（マタイ伝福音書第二二章三〇節）、「この世の子らは、めとったり、とついだりするが、かの世にはいって死人からの復活にあずかるにふさわしい者たちは、めとったり、とついだりすることはない。

彼らは天使に等しいものであり、また復活にあずかるゆえに、神の子でもあるので、もう死ぬことはあり得ないからである」（ルカ伝福音書第二〇章三四〜三六節）と答えられています。

めとったり、とついだりする必要がないということは、男性でも女性でもないということです。

聖書の一番最初、旧約聖書の創世記の天地創造第６日目のところでは、「神は自分のかたちに人を創造された。すなわち、神のかたちに創造し、男と女とに創造された」（創世記第一章二七節）とあり、これが創世記の第一章です。

そのあとの第二章では、「主なる神は、土のちりで人を造り、命の息をその鼻に吹き入れられた。そこで人は生きた者となった」（創世記第二章七節）とあり、これが人類始祖のアダムです。

そして、アダムのためにふさわしい助け手を造ろうということで、「主なる神は人を深く眠らせ、眠った時に、そのあばら骨の１つを取って、そのところを肉でふさがれた。主なる神は人から取ったあばら骨で１人の女を造り、人のところに連れてこられた」（創世記第二章二一～二二節）とありますが、このアダムのあばら骨から造られた女がエバです。

このように聖書の記述では、創世記の第一章と第二章で２段階に分けて人間が造られたように記されています。

それで、最初の天地創造の第６日目に造られた人間、「神のかたちに創造し、男と女とに創造された」人間とは、男女で１つの個体。アンドロギュヌスという説があります。

これを裏づけるものとして、ユダヤ教の『ラビ創世記』では、最初のアダムとエバは背中合わせになって肩のところでつながっていましたが、神が斧で２つに切り離したと説いています。

また、プラトン（前４２７～３４７年）の『饗宴』では、原初の人間は両性具有者で球形だったということです。

なぜなら、球は完全性を象徴しているからです。

しかし、そのアンドロギュヌスの原初の人間たちは、驕り高ぶって神々に逆らい、天に攻め上ろうとしました。

それを見て怒ったゼウスは、人間の身体を真っ二つに切断します。

だから、２つに断ち切られた半分は、再び元の同一体になろうとして互いに相手を求め合う。

これが、「愛慕の説」です。

このようにアンドロギュヌス＝両性具有者を完全な者、完全な形とみなす考えが、古代から全世界には普遍的にありました。

古代ローマ時代には、アンドロギュヌスの神として、ふくらんだ乳房と小さなペニスを持つヘルマフロディトスの像や絵が、多数作られ、描かれました。

アンドロギュヌス＝両性具有者は、完全完璧なものの象徴と見なされていたわけです。

あの有名な天才、レオナルド・ダ・ビンチ（１４５２〜１５１９年）は、一生涯独身で、「男色」「同性愛」の噂が、彼の生存中も死後も絶えず囁《ささや》かれていました。

レオナルドは、錬金術の達人で、文字通り天才でした。

錬金術の本質とは、宇宙、神とその御旨の理解。

それは哲学、宇宙論、天文学、物理学、化学、さらにある種の遺伝子工学まで含んだ広範な知識の統一体、神の真理、神の知恵に対する理解であり、錬金術は、単なる神秘的な魔術とは違います。

レオナルドは、錬金術の達人となって、神の真理に近づいていったわけですが、錬金術が目指す目標が、アンドロギュヌス＝両性具有者。

アンドロギュヌスは、錬金術により達成された完璧なバランス、完全な存在を意味します。

20世紀初頭にフルカネルリという人物が、パリで出版した『大聖堂の秘密』という本があります。その中には、ナントのサン・ピエール・サンポール大聖堂の外壁にある前面はあご髭をたくわえた老人、後面は鏡をのぞく若い女性という双面の像の記述が登場します。

1つの頭に老人と若い女性の2つの顔を持っているわけです。

さらにシャルトル大聖堂のポーチには、あご髭を生やして女性の肉体を持つシバの女王像が飾られていることを彼は指摘しています。

これらはすべて錬金術のシンボル、アンドロギュヌスとして広く認められています。

レオナルド自身も、『魔法の鏡を使う魔女』というスケッチで、ナントの大聖堂の像のような錬金術のシンボルを描いているし、ウィンザー城のヴィクトリア女王のコレクションには、レオナルドの筆による『性的興奮状態にある両性具有者たち』という一連の春画のコレクションも残されています。

ヨーロッパの十字軍遠征（1095〜1291年）の時に活躍したテンプル騎士団が崇拝していたとされるバフォメット像というのが、パリのサン・メリ教会にありますが、これは髭を生やしたしかめっ面の老人の顔、胸には大きな2つの乳房を持つ像で、悪魔みたいな尖った耳、背中には二枚の翼を持っています。髭と乳房を持つ像。これは、完全にアンドロギュヌスです。

このように錬金術のシンボル、錬金術の目指す目標は、アンドロギュヌス、両性具有者でした。実際に「アンドロギュヌスになる儀式」は、古代から世界中にありました。

オーストラリアのある未開人の部落では、今でも成人になる青年のへその下、恥骨の上あたりに小さな穴を穿《うが》つ切開手術を行いますが、これは、女性のあそこを象徴して、穴を開けるわけです。

未成年者には性の区別がなくて、成人式でいったんアンドロギュヌスを通過することによって、成人の男性になれるからです。

もちろん切開手術などをやる習慣は、ごくごく限られています。

その代わりに男の子が女の子の服を着て、女の子が男の子の服を着るという衣裳交換＝トランスヴェスティズムの習慣は、広く行き渡っています。

（3）男女の両性を経験する

さて、神話の世界には、さまざまなタブーがあります。

処女神で月の女神ディアナとアクタイオンの話は有名です。

ある夏の暑い日にディアナが、奥深い森の泉のほとりで水浴びしている時、若い王アクタイオンが、その裸体を盗み見ました。

怒ったディアナは、出歯亀王アクタイオンを鹿の姿に変えてしまいます。

鹿の姿に変えられたアクタイオンは、アクタイオン自身が飼っていた犬たちに食い殺されてしまいました。

処女神ディアナには、冷たい犯しがたい威厳があり、女としては未熟で男の子みたいで、髪を短く束ね、猟犬を従えて野山を駆け回る狩猟者、破壊者としての顔も持っていました。

そして、潔癖で残酷。

処女は昔からふつうの男たちにとっては、近づき難い者。

もし禁を犯して近づけば、手痛いしっぺ返しを受ける恐ろしい者と考えられていました。

同様に近寄りがたい危険なものにヘビの交合、交尾を目撃することがあります。

大昔、テーベの見者テイレシアスという人は、男と女の両性を体験しました。

テイレシアスは、交尾中のヘビを目撃して、オスのヘビを杖で撃ち殺しますが、そのためテイレシアスは女に姿を変えられてしまいます。

それから7年間、女になったテイレシアスは、神殿娼婦として暮らしました。

7年後にテイレシアスは、またもや交尾中のヘビを目撃して、今度はメスヘビを撃ち殺し、再び男に戻ることができました。

セックスしている時の快感は、男と女ではどちらが強いかと、ゼウスとその妻ヘラが口論した時に裁定者としてテイレシアスが呼ばれました。

両方の性を経験済みのテイレシアスは、言下に快感は女の方が男の9倍強いと断言しました。

このためテイレシアスは、ヘラの恨みを買って盲目にされてしまいますが、ゼウスは本当のことを言ったテイレシアスをよしとして、予言の力を授けます。

古代母権社会では、シャーマンは、女になり、女の持つ権力や魔力を一時的に振るうことを要求されました。

テイレシアスの時代には、女神の神官団に入った男性は、女装して、去勢までしました。

逆にいえば、この習慣からテイレシアスの伝説が生まれたのかもしれません。

盲目は、神話の世界では、北欧神話のオーディーン、あるいはこのテイレシアスが示すように去勢のシンボルでした。

タキトウス（５５～１２０年頃、ローマ帝政期の歴史家）によると、ゲルマン民族の神官は、女装した男で、夜明けと日没の儀式を司る北欧の神官は、その職務を果たすために女の服を着て、女の髪型をしていました。

これらはすべて男が女の服を身に着けて女になることによって、女の持つ権力や魔力を一時的に振るおうとしたわけで、古代母権社会では、シャーマンは女になることを要求されました。

ボルネオ、シベリアのシャーマンや魔術師は、女の着物を着るように要求され、最も偉大なシャーマンと考えられた男性は、性を変えて女性になり、夫を迎えて、同性愛の妻として生活できるシャーマンでした。

アメリカ・インディアンたちも、同性愛者を有能な呪医とみなし、彼らシャーマンたちは、夢の中で月の女神から女に変身して、巫女として女神に仕えるようにという命令を受けたと主張しています。

男がアンドロギュヌスを志向して、神により近しい者、シャーマンや巫女を目指した結果と考えられます。

結婚にしてもそうです。

プルタルコス（46〜120年頃、ギリシャの著述家）によると、古代ギリシャのスパルタでは、婚礼の夜に花嫁は頭を剃って、男の着物を着て暗い寝台に横たわり、花婿を待つ習慣がありました。

また花嫁がつけ髭をつけて男装する習慣の国もありました。

逆に花婿が女装する場合もありました。

成人式で裸体になる儀式もあります。

これらはすべてアンドロギュヌスを通過する意味合いがあるのかもしれません。

男でも女になりたがる輩は、過去の歴史上、大勢いました。

女装癖が昂じた人で有名なのは、18世紀の奇人アベ・ド・ショワジーという人です。

愛を生ぜさせるものは美であり、美は女の持ち物であるから、美を追求しようとして一生涯、女装で通しました。

女装がさらに昂じてくると、手術により下腹部に女性の膣のような穴を穿ったり、最終的には去勢して男性のシンボルを切り落とすところにまで行き着いてしまいます。

日本にはありませんでしたが、中国には宦官《かんがん》という制度があったし、古代ローマ皇帝ネロ（37〜68

年）は、去勢の研究をしていました。

中世イタリアでは、去勢が美と青春を保つ方法としてもてはやされました。

すべてアンドロギュヌス、両性を具有した完璧な形、完全な人間になろうとする欲求の発露かもしれません。

（4）両性の心理学的意義

カール・グスタフ・ユング（１８７５～１９６１年、スイスの精神科医・心理学者）の主張ですが、男の無意識の夢の中には、大きな役割を果たす補助的な女性が潜在的にいて、ユングはこの女性像を「アニマ」と呼びました。

女性の場合、逆に夢の中に男性像がいて、これを「アニムス」といいます。

これは時代や人種を問わず人類共通の深層心理で、心の中でこの「アニマ」と同化しようとする男性の心理が、アンドロギュヌス願望といえるかもしれません。

ＬＧＢＴの世界では、２人で楽しむ時には、一方が男役、他方が女役をこなすわけで、アンドロギュヌスを目指しているのかもしれません。

（5）男女同権

次に性行為における体位の話です。

聖書の一番最初の部分、旧約聖書創世記の天地創造の第６日目のところで「神は自分のかたちに人を創造された。すなわち、神のかたちに創造し、男と女とに創造された」（創世記第一章二七節）とあります。

これは創世記の第一章です。

次に人類史祖アダムのためにふさわしい助け手を造ろうということで、創世記第二章に「そこで主なる神は人（アダム）を深く眠らせ、眠った時に、そのあばら骨の一つを取って、その所を肉でふさがれた。

主なる神は人から取ったあばら骨で1人の女を造り、人のところに連れてこられた」（創世記第二章二一〜二二節）とあります。

創世記第一章で作られた1番目の女が、アダムの最初の妻で、創世記第二章でアダムのあばら骨から造られた女が、アダムの2番目の妻エバという言い伝えがあります。

ユダヤの伝説では、アダムの1番目の妻リリス（Ｌｉｌｉｔｈ）は、エバがまだ創造されなかった頃のアダムの最初の妻といわれています。

動物がすべてつがいになっていることを知って嫉妬したアダムのために神はリリスを創造しました。

しかし、リリスは、アダムが造り出された時の塵ではなく、もっと不潔なものから造り出されたといわれています。

セックスの時、リリスは単にアダムの身体の下で横たわっているだけでは、満足できませんでした。

男性上位対面位＝正常位、ポリネシアの未開の原住民から「宣教師の体位（Missionary position）」と呼ばれた体位に満足できなかったリリスは、アダムにさまざまな体位を要求して、女性上位対面位＝騎乗位などをアダム相手に試そうとしました。

要は、リリスは、アダムと対等であることを求めたわけです。

しかしアダムは、リリスの要求を斥けました。

怒ったリリスは、浮気して、元熾天使ルシフェル（悪魔、サタン）とセックスして、悪霊の息子をはらみます。

リリスは冷酷で自堕落な女になり、悪魔たちを相手に取っ替え引っ替えセックスして、毎日、毎日、悪魔の子どもたちを産み落とすようになりました。

リリスに見捨てられたとアダムが神に泣き言を言ったため、神はリリスをエデンの園に連れ戻そうと、サンビ、サンサビ、セマンジラフという３人の天使をリリスのもとに遣わします。

３人の天使は、紅海のほとりでリリスを見つけ出すと、エデンの園に戻るように説得しますが、リリスは拒否しました。

３人の天使は、もし戻らないならリリスと悪魔との間にできた子どもたちを毎日１００人ずつ奪うと脅迫しますが、それでもリリスはアダムの元へ帰ることを拒みました。

アダムが下手くそで、満足させてくれなかったからです。

アダムとリリスの最初の結婚が破れてしまったため、神がエバを創造したというのが真相で、創世記第二章にあるアダムのあばら骨から造られたエバは、２番目の妻になります。

　アダムの最初の妻といわれているリリスは、その後もずっと生き続けました。中世ヨーロッパでは、リリスは夜中に空を飛び回り、生まれたての新生児、特に男の子を探し出して、誘拐したり、絞め殺したりするといわれていました。

　また悪霊の息子を生むために夢の中で夢魔、女怪、スクブスとして現れて、眠っている男たちを誘惑しました。

　リリスの生んだ美しい娘たちは、リリム（Ｌｉｌｉｍ）と呼ばれ、やはり女怪、スクブスとなって聖職者たちを誘惑して、関係を結んで堕落させました。

　ヘブライの伝承では、人類最初の男、アダムは獣たちとの媾合《こうごう》に飽きて、リリスと結婚したともいわれています。

　もちろん獣との媾合は、旧約聖書の申命記に「すべて獣を犯す者はのろわれる」（申命記第二七章二一節）とあるように罪とみなされていましたが、旧約聖書当時の中東の牧夫たちにとってはごくふつうに行われていた習慣でした。

　アダムが力ずくでリリスを自分の下に横たわらせた「宣教師の体位」のみが、男性優位社会、カトリック教会権威筋とイスラム教徒（ムスリム）たちが正しいと認める体位です。

　女性上位対面位は、箒にまたがる魔女を連想させたので、カトリックでは厳禁で、男性上位以外の体位は、罪とみなしています。

ムスリムは、「女を天にして、自分を地にする男は呪いあれ」とまで言っています。

人間以外の動物は、後背位、後ろからしかしないようで、人間だけが対面位、向き合ってセックスしますが、相撲取りみたいに太った男性や、妊娠中の女性は、女性上位対面位がいいようです。

カトリックでは、「宣教師の体位」以外の体位は罪でしたし、後背位を女性上位対面位よりも、もっと罪が重い体位とみなしています。


この体位論争の陰には、当時の性知識が強く影響していました。

生殖のメカニズムは、18世紀に至るまでまったく未知の分野でした。

人間の死体解剖は、13世紀末にボローニャ学派の医師たちにより始まりましたが、これらの医師たちは、修道院系の学派のため、婦人科学には無関心でした。

ルネ・デカルト（１５９６～１６５０年、フランスの哲学者）ですら、男性と女性の精液が混じり合い受胎すると主張しています。

血液循環の発見者ウイリアム・ハーヴェイ（１５７８～１６５７年）は、１６５１年にすべての生物は、メスが生み出す卵から生じると主張しましたが、精液の役割については言及していません。

ピサ大学教授のマルチェロ・マルピギ（１６２８～１６９４年）は、最初に顕微鏡を用いた人たちの１人で、妊娠における卵巣の変形について研究しました。

アントニ・フォン・レーウェンフック（１６３２～１７２３年）という学者は、２００台もの顕微鏡を持ち、彼自身、顕微鏡を改良し続けて、赤血球、精子、滴虫類《てきちゅうるい》を発見しましたが、顕微鏡を用いたこの人の研究は、純粋に分析的なもので、人体だけを専ら研究したわけではありません。レーウェンフックは、万能型の天才、すべてのものに興味を抱く博物史学の権威で、この時代の典型的な知識人像です。

そののち２００年あまり経った１８７７年、ヒトデを使って精子と卵子の出会いを観察するまで、卵子と精子の関係は、未解明でした。

女性の精液の考えは、ギリシャの医師ガレノス（１３１〜２０１年頃）が発案したもので、ヒポクラテス、ガレノスの医学を集大成したアラビアの医師アヴィケンナ（イブン・シーナー、９８０〜１０３７年）の『医学正典』によりヨーロッパ中世に広く流布しました。

アヴィケンナの『医学正典』は、ヨーロッパ中世の大学医学部の教科書として広く読まれ、男性、女性の２つの精液が混じり合って生じた液体により受胎すると、ずっと信じられていました。ですからヒポクラテス以来、性交後にくしゃみをしたり、飛び跳ねたりするのが、有効な避妊法と考えられていました。

現代医学では、俗に「愛液」と呼ばれる女性の精液に受胎能力がないことは、証明済みです。カトリックは、子どもを作るという生殖、種の保存の目的に対してのみ、結婚と性交を認めていました。

男性原理の強いカトリック教会内部では、女性上位体面位は、女性の精液により男性が汚染される恐れがあるということで禁じられ、女性上位体面位については、昔の娼家の記録を見ても、売春の時にさえ行われていない体位でした。

カトリック教会は、妊娠中の夫婦間の性交を禁じていましたが、長期間禁欲生活が続くはずがなく、その勧告は守られずに妊婦は女性上位体面位で交わっていたという記録が残されています。


さてリリスの話が出たところで、この手の話を続けます。

中世では、夢の中で若い男を誘惑する「スクブス（女怪、夢魔）」は、リリスの娘たちのリリムであるといわれていました。

また睡眠中の女と媾合してデーモンをはらませる男の夢魔を「インクブス」といいます。

このインクブスとスクブスの２つの関係については、有名な神学者トマス・アクイナス（１２２５～１２７４年）が、その著書『三位一体』の中で、自在にインクブスにもスクブスにもなりうる両性的デーモンが存在すると述べています。

美しい女の姿をしたスクブスが、まず屈強な若い男を誘惑して、その精液を集め、美男のインクブスに変身して女と交わり、その精液で女を受胎させるという説です。

トマス・アクイナスは、インクブスは人間の女をはらませることが可能と結論づけました。

（６）霊的な存在と、人間の交わり

霊的な存在と人間の交わりの可否。

さらに霊的存在が、人間の女性をはらますことが可能かどうか。

受胎能力の有無については、聖書でも取り沙汰されています。

ノアの箱船の大洪水の物語の直前の創世記第六章一～八節にまず「人が地のおもてにふえ始めて、娘たちが彼らに生まれた時、神の子たちは人の娘たちの美しいのを見て、自分の好む者を妻にめとった。

そこで主は言われた、『わたしの霊はながく人の中にとどまらない。

彼は肉にすぎないのだ。しかし、彼の年は百二十年であろう』。

そのころ、またその後にも、地にネピリム（巨人族）がいた。

これは神の子たちが人の娘たちのところにはいって、娘たちに産ませたものである。

彼らは昔の勇士であり、有名な人々であった」（創世記第六章一～四節）とあります。

人間の美しい娘に魅せられて、天を下り人間と交わる助平な神の子、天使たちは、「見とれる天使」と呼ばれています。

天上の天使と地上の人間の交わり。

これは神の摂理に反する出来事で、その結実たる子どもたちは、巨人すなわち異形の者、化け物でした。

その子どもたちが、地を暴虐で満たしたため、ノアの箱船の洪水審判が起こりました。

「主は人の悪が地にはびこり、すべてのその心に思いはかることが、いつも悪いことばかりであるのを見られた。主は地の上に人を造ったのを悔いて、心を痛め、『わたしが創造した人を地のおもてからぬぐい去ろう。人も獣も、這うものも、空の鳥までも。わたしは、これらを造ったことを悔いる』と言われた。

しかし、ノアは主の前に恵みを得た」（創世記第六章五～八節）と続きます。

エチオピア語エノク書という聖書外典の第六～一〇章には、このことが詳記されています。

「そのころ人の子らが数を増していくと、彼らに見目麗しい美人の娘たちが生まれた。

これを見たみ使いたち、（すなわち）天の子たちは彼女らに魅せられ、『さて、さて、あの人の子らの中からおのおの嫁を選び、子をもうけようではないか』と、言いかわした。

彼らのなかの筆頭たるシェミハザが言いだした。

『実は、あなたがたはこういうことが実行されるのをひょっとすると好まず、わたしだけがこのけしからん悪事のしりぬぐいをするはめになるのではないかと心配なのだ』

彼らは異口同音に答えた。

『この計画をふいにしないこと、これを確実に実行することをいっしょにはっきりと誓い、（誓いを破った者は）仲間はずれにするとしよう』

そこで一同は誓いをたて、そこで仲間はずれを罰とする誓いを結んだ。

そこに居合わせたのは合計二百人であった。

彼らはヤレデ（の時代）にヘルモン山の頂におりたった。

この山をヘルモンと名づけたのは、そこで仲間はずれを罰とする誓いを結んだからである。

……み使いたちの名は、彼らの長たるシェミハザ、アラキバ、ラメエル、コカビエル、アキベエル、タミエル、ラムエル、ダネル、エゼケエル、バラクエル、アサエル、アルメルス、バトラエル、アナニエル、ザキエル、シャムシャエル、サルタエル、トウルエル、ヨムヤエル、サハリエル。

以上は二百人のみ使いの首長たちであり、他はみなこれに従った（第六章）。

彼らは妻をめとり、各人ひとりずつ女を選び、これと関係をもち、交わり始めた。

また女たちに医療、呪いを教え、（薬）草の根や灌木の断ち方を教えこんだ。

彼女らははらんで、背たけがいずれも三千キュビトというとてつもない巨人を生んだ。

彼らはすべての人間の労苦の実を食いつくしてしまい、人間はもはや彼らを養うことができなくなってしまった。

そこで巨人たちは人間を食わんものと彼ら（人間）に目をむけた。

彼らは鳥や獣、（地を）這う生き物や魚に対して罪を犯し、互いの肉をくらいあい、血をすすりはじめた。

そのとき、地はこの狼藉者たちに対して非をならした（第七章）。

アザゼルは剣、小刀、楯、胸当ての造り方を人間に教え、金属とその製品、腕輪、飾り、アンチモンの塗り方、眉毛の手入れの仕方、各種の石のなかでも大柄の選りすぐったもの、ありとあらゆる染料を見せた。

（その後）はなはだしい不《ふ》敬虔《けいけん》なことが行なわれ、人々は姦淫《カンイン》を行ない、道をふみはずし、その行状はすっかり腐敗してしまった。

シェミハザは、すべての魔法使いと（草木の）根を断つ者とを教え、アルマロスは魔法使いをいかに無効にするかを教え、バラクエルは占星家を、コカビエルは（天体の）兆（しるし）を、タミエルは星の観察の仕方を教え、サハリエルは月の運行を教えた。

人間どもが滅んでゆくと彼ら（天使たち）は大声にわめき、その声は天に達した（第八章）。

そのときミカエル、ガブリエル、ウリエル、ラファエルが空から見おろすと、おびただしい血が地上に流され、ありとあらゆる暴虐が地上で行なわれているのが見えた。

……女たちは巨人を産み、こうして全地は（流）血と暴虐に満ちあふれた」（第九章）とあります。

この物語から、著者は世界的ブームを巻き起こした諫山創＝いさやまはじめ氏の名作、『進撃の巨人』を強く連想します。

「天使の肉体」についての有名な話は、創世記第三二章二四～三三節にあるようにヤコブがヤボク川の畔で天使と一晩中組み打ちした時、もものつがいを外されても頑張ったヤコブは、「あなたはもはや名をヤコブと言わず、イスラエル（神と格闘する者）と言いなさい。あなたが神と人とに、力を争って勝ったからです」として天使から祝福を勝ち取った、（二八節）という話があります。

また、創世記第一八章一～一五節では、三人の天からの客にアブラハムが食べ物を与える場面があります。

「そしてアブラハムは、凝乳と牛乳および子牛の調理したものを取って、彼らの前に供え、木の下で彼らのかたわらに立って給仕し、彼らは食事した」（八節）。

さらに、創世記第一九章一～一一節には、こういう記述があります。

「そのふたりのみ使は夕暮れにソドムに着いた。そのときロトはソドムの門にすわっていた。ロトは彼らを見て、立って迎え、地に伏して言った。『わが主よ、どうぞしもべの家に立寄って足を洗い、お泊まりください。そして朝早く起きてお立ちください』。

彼らは言った、『いや、われわれは広場で夜を過ごします』。

しかしロトがしいて勧めたので、彼らはついに彼の所に寄り、家にはいった。

ロトは彼らのためにふるまいを設け、種入れぬパンを焼いて食べさせた」。

ソドムの町に住むアブラハムの甥のロトのもとに2人のみ使いが訪ねてきた時、み使い＝天使を見て欲情したソドムの町の人々は、ロトの家に押しかけて、「今夜おまえのところにきた人々はどこにいるのか。それをここに出しなさい。

われわれは彼らを知るであろう」（創世記第一九章五節）とロトに迫ります。

罪悪に満ち溢れていたソドム・ゴモラの町は、神が天から硫黄と火を降らせて滅ぼしてしまいますが（創世記第一九章二四～二五節）、この時、ロトの一家だけは救出されました。

しかし、ロトの妻は、うしろを振り返るなという神の戒めを破って、残してきた財産を惜しんでソドムの町を顧みて、塩の柱に変えられてしまった、とあります（創世記第一九章二六節）。

ソドムの町の人々は、霊的な存在であるみ使を見て、欲情したわけです。

（7）女嫌い＝Misogynyについて

現在のカトリック教会には、女性の司祭はいません。

女性の聖職叙任に反対する議論の1つに月経中の女司祭は祭壇を汚すという意見があります。

さて、聖書によると、女性と男性は、もともと平等なもの、対等なものとして造られました。

旧約聖書創世記第二章二四節で、

「それで人はその父と母を離れて、妻と結び合い、一体となるのである」とありますが、男と女は一体となる、つまり対等と考えられます。

人類始祖のアダムとエバは堕落して、エデンの園から追い出され、失楽園してしまいますが、女＝エバの堕罪に対する神の断罪は、創世記第三章一六節にあるように「あなたは苦しんで子を産む。

それでもなお、あなたは夫を慕い、彼はあなたを治めるであろう」というものでした。

女のエバには、妊娠と出産の苦しみと生命の危険、さらに夫であるアダムに従うことを命じられました。

話は変わりますが、イエス・キリストの時代には、女性の活躍が、大変目立ちます。

イエス・キリストは、女性差別していませんし、女性に対してとてもやさしく、男女の平等を支持していました。

「一同が旅を続けているうちに、イエスがある村へ入られた。

するとマルタという名の女がイエスを家に迎え入れた。

この女にマリヤという妹がいたが、主の足もとにすわって、御言に聞き入っていた。

ところが、マルタは接待のことで忙しくて心をとりみだし、イエスのところにきて言った、『主よ、妹がわたしだけに接待をさせているのを、なんともお思いになりませんか。

わたしの手伝いをするように妹におっしゃってください』。

主は答えて言われた、『マルタよ、マルタよ、あなたは多くのことに心を配って思いわずらっている。しかし無くてはならぬものは多くはない。いや、１つだけである。マリヤはその良い方を選んだのだ。そしてそれは、彼女から取り去ってはならないものである』」（ルカによる福音書第一〇章三八～四二節）。

イエス・キリストは、女性の伝統的な責任である客の接待をせずに台所を離れて、イエスの足元にすわって男性のように学ぶマリアをほめています。

これまた非常に有名なエピソードですが、ヨハネの福音書第八章一～一一節に律法学者やパリサイ人たちが姦淫現場でつかまった女をひっぱって来てイエスに「モーセは律法の中では、こういう女を石で打ち殺せと命じましたが、あなたはどう思いますか」とたずねて、イエスを試す場面があります。

イエス・キリストの返事の言葉尻を押さえて、訴える口実にしようとしたわけですが、イエス・キリストは、「あなたがたの中で罪のない者が、まずこの女に石を投げつけるがよい」と言われました。

これを聞くと集まった人々は、1人ひとりと出ていき、ついにイエスと女だけになりました。

「そこでイエスは身を起こして女に言われた、『女よ、みんなはどこにいるか。あなたを罰する者はなかったのか』。女は言った、『主よ、だれもございません』。イエスは言われた、『わたしもあなたを罰しない。お帰りなさい。今後はもう罪を犯さないように』」（一〇～一一節）

イエス・キリストは、女性差別をしていませんし、道を踏み外した女性たちに対しても実に優しかったわけです。

そして多くの婦人たちが、イエス・キリストに付き従っていきました。

イエス・キリストが捕らわれた時、マタイによる福音書第二六章五六節に「そのとき、弟子たちは皆イエスを見捨てて逃げ去った」とありますが、薄情な男の弟子たちは、イエス・キリストを見捨ててみんな逃げてしまい、女性の弟子たちだけが、イエス・キリストの最期を見守っていました。

聖パウロ（3～67年頃）も、ガラテヤ人への手紙第三章二六～二八節で、「あなたがたはみな、キリスト・イエスにある信仰によって、神の子なのである。キリストに合うバプテスマを受けたあなたがたは、皆キリストを着たのである。もはや、ユダヤ人もギリシャ人もなく、奴隷も自由人もなく、男も女もない。あなたがたは皆、キリスト・イエスにあって一つだからである」と述べ、男女を対等に扱っています。

しかし、聖パウロには女嫌いな一面もあり、集会で女性信徒たちが髪おおいを着けずにいたことに苛立ちます。

コリント人への第一の手紙第一一章三～一〇節にこう記されています。

「しかし、あなたがたに知っていてもらいたい。すべての男のかしらはキリストであり、女のかしらは男であり、キリストのかしらは神である。祈をしたり預言をしたりする時、かしらに物をかぶる男は、そのかしらをはずかしめる者である。祈をしたり預言をしたりする時、かしらにおおいをかけない女は、そのかしらをはずかしめる者である。それは、髪をそったのとまったく同じだからである。もし女がおおいをかけないなら、髪を切ってしまうがよい。髪を切ったりそったりするのが、女にとって恥ずべきことであるなら、おおいをかけるべきである。男は、神のかたちであり栄光であるから、かしらに物をかぶるべきではない。女は、また男の栄光である。なぜなら、男が女から出たのではなく、女が男から出たのだからである。また、男は女のために造られたのではなく、女が男のために造られたのである。それだから、女は、かしらに権威のしるしをかぶるべきである。それは天使たちのためでもある」とあります。

御霊が下ってトランス状態になった女性信徒たちが、ベールをかなぐり捨てて大声で喚くようなことが、よくあったからでしょう。

コリントは、ギリシャ半島と大陸をつなぐ南端にあって、地中海の東西を結ぶ交易地点として商業が栄え、いろんな人種が集まり、東西の諸文化、宗教がごちゃごちゃになって、自由の気風がとても強い土地柄でした。

聖パウロは、ここで2年間ほど必死に伝道して、教会を建設します。

教会員の数は多かったのですが、身分や地位の高い人はあまりおらず、教会内で分派争いが起こり、不道徳をやらかす輩がたくさん出てきて、コリントは問題の多い土地柄でした。

聖パウロとは非常に相性が悪く、聖パウロとコリント教会は、仲が悪かったのです。

それに厚化粧のチャラチャラした厚顔無恥なかしがましいオバタリアンの女性信徒がたくさんいたようで、聖パウロの怒りが爆発します。

聖パウロは、

「また、女はつつましい身なりをし、適度に慎み深く身を飾るべきであって、髪を編んだり、金や真珠をつけたり、高価な着物を着たりしてはいけない。むしろ、良いわざをもって飾りとすることが、信仰を言いあらわしている女に似つかわしい。女は静かにしていて、万事につけ従順に教を学ぶがよい。女が教えたり、男の上に立ったりすることを、わたしは許さない。むしろ、静かにしているべきである。なぜなら、アダムがさきに造られ、それからエバが造られたからであ

る。またアダムは惑わされなかったが、女は惑わされて、あやまちを犯した。しかし、女が慎み深く、信仰と愛と清さを持ち続けるなら、子を産むことによって救われるであろう」（テモテへの第一の手紙第二章九〜一五節）

と語っています。

聖パウロは、エバが最初に堕罪し、次ぎにアダムを罪に導いた。

女性は、この世の男性の情欲をそそらないように慎ましやかにしておくようにと諭しています。

旧約聖書創世記によると、人類始祖のアダムとエバは、ヘビにそそのかされて禁断の木の実を食べてしまいます。

この禁断の木の実は、アダムとエバに知恵を授けることになりますが、同時に彼らは純粋無垢な状態を永遠に失ってしまいました。

創世記第二章二五節には、純粋無垢なアダムとエバは最初、「人とその妻とは、ふたりとも裸であったが、恥ずかしいとは思わなかった」という状態でしたが、禁断の木の実を食べてからは、第三章七節にあるように「ふたりの目が開け、自分たちの裸であることがわかったので、いちじくの葉をつづり合わせて、腰にまいた」というように変化します。

性に目覚めた2人は、むき出しのままの陰部にひどくうろたえ、恐怖して、手近なイチジクの葉でそこを覆い隠しました。

そして涼しい風が吹く頃、神の足音が聞こえるとふたりは木の陰に身を隠します。

主なる神が「あなたはどこにいるのか」と呼びかけると、アダムは「園の中であなた（神）の歩まれる音を聞き、わたしは裸だったので、恐れて身を隠したのです」と答えます。

アダムは裸を恥じて神を避けたわけで、人間の堕落とは、性的な事柄に関係したことと考えられます。

聖パウロも、聖アウグスティヌス（３５４～４３０年）も、アダムに情欲を起こさせた美しいエバを堕罪の原因と考えて、情欲を忌み嫌いました。

特にアウグスティヌスは、罪とセックスと女の聖ならざる三位一体を嫌い、それが昂じたアウグスティヌスは、しまいには、いったいなぜ神が女を創造したのか、と困惑するに至ります。

そして男性原理の強いカトリック教会の権威筋は、男性にとって目に毒な美しい女性を次第に目の敵にしていくわけで、最後に行き着いた終着点が、「女性は魔女である」ということです。

これは、カレン・アームストロング女史というイギリスの偉い宗教学者が、『キリスト教とセックス戦争』（高尾利数訳、柏書房、１９９６年）というベストセラー本の中で述べている内容です。

仏教でも、女性は、三千世界の罪障を一身に背負った罪深い存在だといわれていますが、男性原理の強い父権社会において、女性は恐いものという潜在意識の裏返しとして魔女というものが生み出されたわけです。

著者の本音

男女のジェンダー問題は、何も近年に始まったわけではなく、何千年も前からあった問題で、去勢してトランス女性となった男性、手術はしないけれども性自認は女性の男性、クロスドレッサー（女装や男装をする人たち）は、過去の歴史の中に大勢登場します。

繰り返しますが、男性生殖器を持つが性自認は女性の男性が、女湯や女子トイレに入って、男性生殖器を露出することが「人権」で、それに異を唱えることが「差別」。

痴漢行為をしても、男性が「自分の性自認は女性」と主張すれば、咎《とが》めることが「差別」で、「人権侵害」になる法律。

こんな法律は、絶対に作ってはいけないと考えています。

さらにこのような法律は、社会の公序良俗、さらには日本の家族、家庭を破壊してしまう危険性を内在しています。

もちろん、性転換手術までして性同一性障害に悩む人たちの人権は手厚く守られるべきですが、法律化については、慎重な上にも慎重に、急ぐことなく大いなる議論が必要でしょう。

最後に以下の記事を紹介して、締めくくりたいと思います。

読売新聞２０２１年12月26日朝刊の８面：
「非常時を超える科学の力」科学史家　村上陽一郎（科学史家、科学哲学者。日本アスペン研究所副理事長、東京大学名誉教授、国際基督教大学名誉教授）の寄稿記事です。

> 『コロナ禍を通じ、自由と平等に思いを巡らせました。中国政府が初期段階に武漢で外出・移動を禁止した時、フランスの有力紙は「自由殺し」と批判した。自由を愛する国らしい反応である。ところが仏国内で感染が広がると政府は外出を制限し、マスク着用を義務化。あのフランス人たちも従わざるを得なかった。フランスには自由の行き過ぎを戒める側面もあるのです。19世紀の思想家アレクシ・ド・トクヴィル（１８０５～１８５９年）は、自由の行き過ぎが放縦《ほうしょう》であることは誰でもわかると述べている。その一方で、「隷属状態であっても平等であれば構わない」という人がいる。平等の行き過ぎに人はなかなか気づかない』という趣旨の指摘をしています。

平等の行き過ぎ!!
ＬＧＢＴ論争を通して、みんなでもう一度、冷静に考える必要があるでしょう。

3 尊厳死と安楽死

●『見捨てられる〈いのち〉を考える　京都ＡＬＳ嘱託殺人と人工呼吸器トリアージから』晶文社、２０２１年

編者
安藤泰至：鳥取大学医学部准教授（生命倫理）
島薗　進：上智大学グリーフケア研究所元所長、東京大学名誉教授（宗教学・死生学）

著者
川口有美子：ＮＰＯ法人ＡＬＳ／ＭＮＤサポートセンターさくら会副理事長。
大谷いづみ：立命館大学産業社会学部教授（生命倫理学・生命倫理教育）。
児玉真美　：フリーライター、一般社団法人日本ケアラー連盟代表理事。

この本をもとに議論を進めたいと考えていますが、その前にぜひとも読者の皆さまに思い出してほしい事件と出来事を３つ、列挙します。

（１）京都ＡＬＳ女性嘱託殺人事件：

２０１９年11月30日、京都市内に住む筋萎縮性側索硬化症（Amyotrophic Lateral Sclerosis, ＡＬＳ）の女性（当時51）の自宅に知人を装った医師２人が訪れた後、女性が意識不明に陥っているのをヘルパーが発見。女性はその後、搬送先の病院で死亡が確認されました。

京都府警は２０２０年７月、この女性から依頼を受け、薬物を投与して殺害したとして医師２人を逮捕し、京都地検は２０２０年８月13日、大久保愉一（よしかず）容疑者（42）＝仙台市泉区＝と、山本直樹容疑者（43）＝東京都港区＝を同罪で起訴しました。

２人は女性の依頼で鎮静薬を投与し、急性薬物中毒で殺害した疑いで逮捕されましたが、２人は女性の主治医ではありませんでした。

死因は急性薬物中毒で、女性の胃から鎮静作用がある「バルビツール酸系」の薬物の成分が検出されましたが、女性がふだん使っていない薬物の成分でした。女性は一人暮らしで24時間介護を受けていましたが、人工呼吸器は装着しておらず、栄養摂取のために造設していた胃ろうを通じて投与されました。

女性は事件の約1年前、ツイッター上で大久保容疑者と知り合い、「安楽死」をめぐるやり取りを重ね、２０１９年11月に大久保容疑者から山本容疑者の口座を伝えられ、同月下旬に計１３０万円を振り込んだとされています。

主治医に「山本医師のところに移りたい、紹介状を書いてほしい」とも伝えていたそうです。

府警は女性のパソコンなどを解析。

大久保容疑者が一連のやり取りを消去するよう女性に指示していたことが確認された一方、大久保容疑者が自身の名前を名乗った形跡はみられず、大久保容疑者は事件当日に女性宅を訪れた際も、山本容疑者とともに偽名を使っていたそうです。

（2）相模原障害者施設殺傷事件：

２０１６年７月26日未明に神奈川県相模原市緑区千木良４７６番地にあった神奈川県立知的障害者福祉施設「津久井やまゆり園」で発生した大量殺人事件。

元施設職員の植松 聖（うえまつ さとし／事件当時26歳）が施設に侵入して、所持していた刃物で入所者19人を刺殺し、入所者・職員計26人に重軽傷を負わせました。

殺人などの罪で逮捕・起訴された加害者・植松は、２０２０年３月に横浜地方裁判所における裁判員裁判で死刑判決を言い渡され、自ら控訴を取り下げたことで死刑が確定しました。

（3）ＮＨＫスペシャル「彼女は安楽死を選んだ」：

２０１９年６月２日（日）の21時から放映された番組で、スイスで安楽死した50歳の日本人女性の記録が取り上げられました。

多系統萎縮症という進行性の神経難病の独身女性は、徐々に歩行と会話が困難になる中、医師から「やがて胃ろうと人工呼吸器が必要になる」と宣告されます。

その後、「人生の終わりは、意思を伝えられるうちに、自らの意思で決めたい」と、スイスの安楽死団体に登録。

寝たきりになる前に自分の人生を閉じることを願い、「私が私であるうちに安楽死を望みます」と決意を固め、２人の姉に見守られながら、スイスの安楽死団体の医師の手を借りて安楽死を果たしますが、その最期の瞬間までもがカメラに収録されて、全国放映されました。

（宮下洋一著、『安楽死を遂げるまで、小学館、２０１７年』に詳述されています）

以上の３つの出来事を念頭に、本の内容を紹介します。

●66頁（安藤泰至）　これからを見据えて

日本における「死ぬ権利運動」を振り返ってみると、それは優生思想ではあるものの、「無駄に生かされている」長患いの療養者を死なせて楽にしてあげたいという憐憫、慈悲が高じたもので、とくに病院での終末期医療を見てきた医療従事者による治療中止を支持する言論が数多く見られました。

そして、それに追随するように一部の政治家や知識人、昨今ではネットの掲示板の書き込み、報道番組の制作者らが、「死ぬ権利運動」ともいえる様々な方法で、世間に強いインパクトを与えてきたのも事実です。

●90～94頁（安藤泰至）　殺される／殺すのはだれか？

7月23日（２０２０年）に京都のＡＬＳ女性の嘱託殺人のニュースが流れてきたときに、私は毎日新聞から最初のインタビューを受け、7月26日の朝刊にそれが記事として掲載されました。

この記事の最後のところで、私は次のように言っています。

「私は今回の事件が、安楽死の法制化ではなく、どんな人も生きやすくなる社会について考えるきっかけになってほしいと切に願っています」。

実際にインタビューのなかで私が言ったのは、「今回の事件で亡くなった林さんのような重い病気や障害をもった人が生きやすい社会とは、どんな人にとっても生きやすい社会なんだ」ということだったと記憶していますが、記者が先のような文章にしたわけです。

この私の発言について、ツイッターなどでは「『どんな人も生きやすい社会』なんてあるわけないだろう」とか、「頭の中がお花畑の学者先生」などと書かれたりしました。

しかし、それはそんなに非現実的なことなのでしょうか。

私はなにも、全員が幸せ一杯みたいな社会をイメージしているわけではなくて、ずっと慎ましやかなことを言っているつもりでした。どんな人も殺されることのない、殺されるかもしれないという脅威を感じなくてよい社会、そしてどんな人も他の人を殺したり、殺すことに加担したりしなくてよい社会、そういう社会を望むというのは、ある意味当然のことなのではないでしょうか。

現実にそれを実現するのは難しいでしょうが、けっしてユートピアとかではなく、少なくともそういう社会を目指すということはそんなに非現実的なことではないと思います。

（中略）

なぜそんなに自信がある／ないのか？

今度、11月3日（2020年）にNHK　Eテレの「ハートネットTV」で京都ALS女性嘱託殺人の特集が放送予定ですが、私は4日の方に出演します。

この「ハートネットTV」のホームページには意見募集コーナーがありますが、そこでは圧倒的に安楽死を肯定するような意見が多いのが現状です。

私はそういう発言を見るたびに、「なぜこの人たちはそんなに自信があるのだろうか？」「自信をもってそういう風に言い切れるのだろうか？」と感じます。

その一方で、逆に「なぜ、この人たちはこんなに自信がないのだろうか？」とも思うのです。

つまり、「自分がそのような状態になったら死にたい、安楽死したい」と今は元気な人が言うのですが、そんなこと、なってみなければわからないわけでしょう。

もちろん同じ病気でいずれなると予想できる人がそう言うならば、まだわからないでもないです。

がんの患者などで、患者会には行きたくないという人の話を聞くと、やっぱり自分より病状の進んでいる人の話を聞いていると暗い気持ちになる、ということはよく言われています。

ただ、今元気な人がそのような重い病気や障害をもって生きている人に面と向かって、「私はあなたのような状態になったら死にたい、安楽死したい」などと言えるでしょうか。

絶対に言えないのではないかと思います。

つまりそういう言葉というには、そのような状態で懸命に生きている人に対して、ヘイトと言っても言い過ぎではないような暴力性をもっている言葉だと思います。

安楽死を肯定する人たちのほとんどは、そういうことにはまったく無自覚です。

こういう人たちが「自信がある」というのは、もう一つのことと関わります。

つまり彼らは、自分が逆に「殺される側」「殺されることに脅威を感じる側」になるかもしれないなどとは想像もしていない、ということです。

（中略）

それはなにも「重い障害をもった人」という特別の人がいるわけではなく、人間だれしもが、いつでもそのような状態になる可能性があるわけですね。

「殺される」ということで言うと、たとえば医師が、本当はもっと苦痛を取れる方法があるのに、そういう方法を知らなかったり、あるいは病状の進行をやたら悲観的に伝えていたりすることがあります。

医師が、受けられるサポートについて情報を知らなかったり提供してくれなかったために、本当はもっとサポートを受けられるのに、患者の方は受けられないと思い込んで死を選ぶということだってあるわけです。

そういう医師とか医療が、患者を殺すような方向へ後押しすることもあるわけですが、「治らないんだったら安楽死を認めてほしい」と単純に言う人は、自分がそういうことをされないという自信、つまり十分生きられるのに絶望させられて（結果的に）殺されてしまうことにならない、という自信があるのだろうか。

●１１０～１１１頁（大谷いづみ）

なぜ生命倫理問題だったのか　殺す私〈ナチス〉と殺される私〈ユダヤ人〉

優生政策では、結婚と出産の奨励手当やドイツ母親十字章という名誉が付与される一方で、ユダヤ系との婚姻禁止、強制不妊と中絶、あげくに占領地から金髪碧眼の子どもを誘拐してドイツ人家庭に養子に出すことまでしています。

他方、Ｔ４政策と呼ばれる安楽死政策で最初に殺害されたのは、同胞であるドイツ人心身障害者の組織的虐殺だった。

●１２１～１２４頁（大谷いづみ）

ＳＮＳ時代に消費され・拡散される「死」

ＮＨＫスペシャルのドキュメントにもＡＬＳ嘱託殺人事件にも、ネット上で共感が多く示されたことから、少し違った視点でみてみましょう。

ＡＬＳ嘱託殺人事件が報道されたとき、私は反射的に、ついに起こるべくして起きた、と感じました。

嘱託殺人を依頼したＡＬＳ患者の林優里さんと実行した医師二人はお互いに面識もなく、ＳＮＳで知り合ってリアルな接触は実行のわずか10分間です。

他方、２０１６年７月26日の相模原障害者施設殺傷事件のときには、ネットで、植松聖死刑囚に対して特に若者貧困層からの共感が多かった。

私は、そこには、若年層の生きづらさが背景にあると考えています。

若者たちがどういう学校生活を、人間関係を生きているのか。

たとえば強い同調圧力とスクール・カースト、厳しい競争、正規でも不正規でもブラックが横行して、先の見えない閉塞感が増すばかりです。これは必ずしも貧困層だけではありません。

こういった生きづらさに、せめて死ぬ自由がほしいと、「死ぬ権利」の議論が共振しているのではないかと思うのです。

２００６年の自殺対策法の効果か、この10年、自殺者は徐々に減っていましたが、若年層だけは微増してきました。

韓国も同様です。

東アジアの後発圏の若者は激しい受験戦争と高学歴化による厳しい就職難にさらされて育っています。

受験対策重視の常に正解を求められる教育が主流なこと、儒教に基づく家父長制度が根強いことも共通しています。

コロナ禍での経済的困窮が女性と若者の困窮とＤＶ、自殺の増加に端的に表れてもいます。

（中略）

ＳＮＳ上で消費拡散されるいのちについて、２０２０年の出来事では、リアリティ番組『テラスハウス』に出演していた木村花さんの自殺も見逃せません。

花さんは、ＳＮＳで強力な誹謗・中傷のバッシングにさらされて自殺に追い込まれました。

そのとたんにバッシングに対する批判が起こった。

かたや、三浦春馬さんら著名な俳優の自殺が相次ぎ、こちらは感動の対象として消費されています。

つまり、いのちの語られる場所が変わってきた。その語り方・語られ方は、変化せざるを得ないでしょう。

ＳＮＳ上での匿名の誹謗・中傷は、計測される実数のとおりではなく、同じ人が繰り返している側面もあるようですが、単純な棲み分けで済むとも思えません。

●150～151頁（島薗進）

いのちの選別をめぐって何が起きていたのか？　いのちが脅かされているということ

安楽死や死を前提とした選別にひかれるような文化土壌が日本にはあるのかもしれない、といったことも考えておく必要がありそうです。

日本では殉死や切腹、あるいは心中というように、潔い死の強い伝統があると思います。

一方で、現代社会では、いのちは自分のものだという何か大きな錯覚があります。

生きることの中には自分の力だけではない要素が大きい、人とともにある、あるいは与えられている、恵まれている部分があってこそ自分のいのちがある、そういう感覚がありましたし、今も残っています。

そういう意識があるからこそ他者との連携が可能になり、謙虚になれるとともに、欲望に囚われずに自由でありうる。

そうしたいのちの理解が重要ではないかと思います。

ところが、現在の生命科学の技術は、どんどん「いのちをつくる」ことができるもの、選別するとか、自分で選んでよいもの、死んでいくのも自分の意思でするものと感じるようになっています。

（中略）

個々のいのちはそれぞれ固有でかけがえがないということと、一人で生きているのではなくてともに生きている――

この両者は矛盾しない、いやむしろ深くつながりあっているのではないかと思います。

にもかかわらず、生き延びるための訓練に勝ち残ることこそ価値があることだと考えざるをえない社会になっています。

●194～197頁（児玉真美）

オランダとベルギーで起こっていること

次に、世界で最初に積極的安楽死を合法化したベルギーとオランダの概況ですが、両国では「耐え難い苦痛」に精神的な苦痛まで含められるため、衝撃的な出来事が多数起こっています。

たとえばベルギーでは2012年に、生まれつき耳が聞こえない双子の40代の男性が、二人とも近く目が見えなくなることに絶望し、二人そろって安楽死。

それから性転換手術を受けた人が、その結果に満足できず絶望して安楽死を希望し、認められて亡くなっています。

最近では、両国とも精神障害者や認知症の人たちの安楽死が増えています。

オランダでは、２０１０年にできた安楽死専門クリニックが機動安楽死チームを派遣し始めました。安楽死を希望しても引き受けてくれる医師が見つからない患者さんのために、医師と看護師が車で自宅に来て、安楽死させてくれるのです。

この制度ができてから安楽死件数が急増したともいわれています。

（中略）

このように、自分の人生はもう完結したと考える高齢者が安楽死や医師幇助自殺で死ぬことが近年「理性的な自殺」と肯定的に呼ばれており、その傾向はオランダに限りません。

一方、安楽死合法化の基盤にある自己決定原則は形骸化し始めています。

２０１６年にオランダで衝撃的な事件が起こりました。

認知症の高齢女性が軽症のうちに「重症化して施設に入るくらいなら安楽死を希望する」という趣旨の事前指示を書いていたのですが、実際に重症化して施設に入った後は、医師の意思確認に対して否定的な反応を示していたといいます。

その人に、入所からわずか七週間で医師の判断により、安楽死が実施されました。

しかもコーヒーに鎮静剤を混入して飲ませ、点滴を入れる際に抵抗されると家族に押さえつけさせてまで実行しました。

その強引なやり方が問題となり、オランダで安楽死が合法化されて以来初めて医師が起訴された事例でしたが、医師の善意による判断だとして、今年無罪が確定しました（「コーヒー事件」と呼ばれている）。

驚くのは、この無罪判決を受けて、オランダでは安楽死の新しいルールが作られたこと。事前指示で安楽死希望を明示している認知症患者には、改めて意思確認は必要なく、時期は医師が判断してよい、しかも不穏が予想される場合には、こっそり食べ物、飲み物に鎮静剤を入れてもかまわない、というのです。

自己決定原則の形骸化について、もう一つ指摘しておきたいのは、オランダでは知的障害、発達障害がある人にも安楽死が行われている事実です。

オランダの当該事例の詳細を調べた英国の緩和ケア医らは、意思決定能力のアセスメントに医師の個人的価値観が影響している可能性を指摘しました。

またベルギーでは、発達障害と診断された直後に安楽死で亡くなった若い女性の家族が、安楽死ではなく発達障害の治療をすべきだったと主張して医師を訴えた訴訟もあります。

障害がある人が生きるための支援を求める声は、なかなか聞く耳を持ってもらえないのに、こうして「死ぬ権利」を求める声だけは、たやすく認められていくのかと思うと、釈然としません。

●１９９頁（児玉真美）

対象者の拡大という「すべり坂」

日本ではあまり広く知られていないことですが、ベルギー、オランダ、カナダでは安楽死は臓器移植医療と直結しています。もちろん安楽死も臓器提供も別々に同意を取るのですが、手術室のすぐそばで安楽死を行い、心停止から数分待って臓器を摘出します。

「安楽死後臓器提供」といい、ベルギーでは２００５年から、オランダでは２０１２年から行われて、２０１６年までに両国合わせて安楽死後臓器提供ドナーは40人以上。カナダは２０１６年の安楽死合法化からわずか二年余りで少なくとも30人。安楽死を希望する人の多くはがん患者ですが臓器提供はできにくいため、安楽死後臓器提供ドナーには神経筋疾患患者や精神障害者が多く含まれています。

以上で、『見捨てられる〈いのち〉を考える』からの引用は終了。

あまりにもヘビーなテーマを専門分野の研究者たちが、深い学識をもとに血の滴るような真摯な語り口で述べております。

著者はそれらを自分の言葉で置き換えるほどの表現力がないので、原典を長々と引用させてもらいました。

著者の意見

２０１９年11月30日に起きた京都ＡＬＳ女性嘱託殺人事件を初めて知った時、著者の脳裏にまず浮かんだ言葉は、「メサイアコンプレックス」です。

メサイアコンプレックス

キリストコンプレックス、または救世主妄想とも呼ばれます。

メサイアコンプレックス＝メサコンの状態になると、人を助けずにはいられない。

「人を救おうとする」という点において、メサイアコンプレックス由来の行動は、好ましいようにも見えます。

しかし、その動機は、

「自分が救われたいから、他人を救う」

「人を助けることで自分の存在意義を確認する＝自己肯定感を高める」

「他人を救うことで優位に立とうとする＝マウンティング」です。

「やさしさ」によって人の役に立ちたいと思っているわけではなく、「自分と現実を変えたいから」「自信をつけたいから」「感謝されたいから」という自己中心的な願望が、最大の動機です。

メサイアコンプレックスの問題点

①本人は正義だと思い、相手を救っていると思い込んでいるので、トラブルを生み、周りを不幸にしていきます。

メサコンにより突き動かされた行動は、相手がありがた迷惑と受け取る場合が少なくありません。助けられる側からすると、一応ありがたいことではありますが、本当にこちらのことを思っての行動ではない場合が多いからです。

そして、相手がその援助の申し出を断ったり、注文をつけたりすると不機嫌になります。

②メサイアコンプレックスという言葉は、『精神障害の診断と統計マニュアル』には記されていませんが、この障害の症状は、誇大妄想に苦しむ個人に見られるものにとても類似しています。

この種の妄想的信念は、双極性障害や統合失調症をわずらう患者に最も多く報告され、自分自身が救済者になっているかのような誇大妄想にかられ、統合失調症の一つの形として現れるともいわれています。

③また、幼少期の家庭環境などから、自尊心が傷ついている場合が少なくありません。
　メサコンの人によく見られるのが、自分に対する強い「劣等感」と、自分を取り囲む環境や現実に対する「嫌悪感」で、「劣等感を原動力として人助けを行う」ことです。

　この「劣等感」というのは、過去に自分自身が助けてもらえなかった、満たされなかったという辛い経験をきっかけに形成されます。

　そして、「助けてほしい」「満たされたい」という欲求を抑圧してきた結果、その反動として「人助け」という行動を取ります。

④メサコンの人は、「自分のために他者を助けている」ので、自分本位に行動してしまい、相手に不快な思いをさせたり、人に尽くし過ぎてしまう等のトラブルが起きます。
「こうすることが正しい」「これがこの人のためになる」という正義感に裏打ちされた思い込みが強く、他人の助言を受け入れることが困難です。

⑤人助けをした時に見返りを求めることも、ごくふつうなことですが、メサコンの人は、「見返りの質」がふつうとは異なります。
　一般的に人助けをする時は、「相手を助ける」ということを目的とします。

　その見返りは、あると嬉しい、ないと残念だ、という程度ですが、メサコンの人は、「人助けをすることで自分を満たす」ということが目的なので、自分が望んでいる見返りがないと、意味がないと考えます。

そのためメサコンの人は、人助けをした後に見返りがないと過剰に反応して、時には怒りを現すことさえあります。

「こんなによくしてあげたのにあり得ない！」という考えになります。
⑥メサコンの人は、誰かを助けて、自分の思い通りになっている間は、「自分は優れている」と思うことができますが、逆に助けられなかったり、思い通りの結果にならないと、「自分はダメな存在だ」と自己評価が極端に下がり、本当の自分から目を背けます。
「万能感」と「無力感」との間での揺れ戻しが激しいと、日々の生活に支障が出てきます。

例えば、今まで仲よくしていた人に急に興味をなくす、仕事への意欲が突然なくなる、などがあげられます。

メサイアコンプレックス医療者＝メサコン医療者の暴走はとても恐い!!

医療者の立場は、常に弱者である患者より強く、医療者本人は、「いいことをしているわけだから、感謝されて当然」という意識があります。

メサコン医師暴走の事例：

（１）１９９１年４月13日、神奈川県伊勢原市の東海大学医学部付属病院で、主治医だった男性医師が、末期がんだった患者に塩化カリウムを注射して死亡させ、殺人罪で在宅起訴。

　裁判では「安楽死」が争点となりましたが認められず、元助手に執行猶予つきの有罪判決がくだされました。

（２）１９９８年、神奈川県川崎市の川崎協同病院で、喘息発作を起こして心肺停止した男性に対して、女性医師＝須田セツ子医師が准看護師に筋弛緩剤投与を指示して殺害したとして、殺人容疑で逮捕。延命治療をめぐる刑事責任が問われ、懲役１年６ヶ月、執行猶予３年の有罪判決を受けました。

　58歳の男性患者が喘息発作を起こしていったん心肺停止状態になり、１９９８年11月２日、同病院に搬送されて昏睡状態のまま入院しました。

　11月16日の17時半頃に担当医師が気道を確保していたチューブを外した後、患者がのけぞり苦しそうな呼吸を始めたため、准看護師に指示して筋弛緩剤を注射して、患者はまもなく死亡しました。

　２００２年４月、同病院が経緯を公表し、同年12月、医師は殺人容疑で逮捕・起訴され、２００９年に有罪判決が確定しました。

　１９９８年11月８日、家族に「９割９分９厘は脳死状態」と説明。

　抜管前、「チューブを抜くと最期になる。家族の皆さんの確認が必要」と家族の希望を確認した上で抜管して、筋弛緩剤を投与しました。

その理由について、須田被告は県警の任意の事情聴取に「筋弛緩剤の投与は、苦しそうな呼吸を楽にするため」「死なせることが目的ではなかった」と説明。

県警が当時の担当看護師から事情聴取するとともに、専門医に依頼して看護記録やカルテを鑑定。

①男性患者は入院後、自発呼吸が可能なまでに回復しており、自発呼吸している状態であれば脳死とはいえない。＝脳死と判断する客観的な検査もしておらず、死が切迫していると断定できる状況ではなかった。抜管後に患者の呼吸が荒くなり、再挿管などの必要な措置を行わず、筋弛緩剤を投与した。

②家族は、抜管や筋弛緩剤投与でどうなるか、「説明を受けていない」と話している。

③医師ならば、抜管したまま筋弛緩剤を投与することで患者が死ぬことは当然予見できた、として、殺意を認定しました。

患者の遺族は、「患者を死なせてほしいと頼んだことはない」と証言しています。

須田被告は、「男性の家族から頼まれた」「抜管は正当な医療行為」と主張しましたが、「抜管を頼んだことはない」とする男性の家族の説明も一貫していました。

看護記録：「ファミリー（妻）より希望あり。チューブを抜管してほしいとのこと」と書いた看護師は家族から直接、この言葉を聞いておらず、須田被告が指示して記入させていたことが判明しました。

死亡診断書に書かれた死因は、「気管支喘息の重積発作による無酸素脳症」で、遺体は解剖されずに火葬されました。

川崎協同病院の男性医師の評価：「チームの一員としては組みづらい医師だった」

「即断即決で、一度言い出したことはまず曲げない。この性格が患者にとっていい方向に働くこともあったが、取り返しのつかないことをしでかす危険性はあった」

２００１年10月30日、麻酔科医師が内部告発という形で次期院長に訴え、同年11月末に須田医師に退職を勧告して、２００２年2月に須田医師は退職しました。

一審判決：

①被害者の回復可能性や死期切迫の程度を判断する十分な検査がされ尽くされていない。

②家族らに患者本人の意思について確認しておらず、抜管行為の意味すら正確に伝えられてなかった。

③治療義務の限界を論じるほど治療を尽くしておらず、早すぎる治療中止として非難を免れない。

最高裁：法律上許される治療中止を判断するにあたり、何が必要か。
①十分な治療と検査が行われ、患者の回復可能性や余命について的確な判断をくだせる状況にあること。
②家族に適切な情報が伝えられた上での、患者の推定的意思に基づくものであること。

２０１０年４月、『私がしたことは殺人ですか？』（青志社）を出版。

須田セツ子氏（１９７９年横浜市立大学医学部卒業、１９８０年から川崎協同病院勤務、２００３年３月、神奈川県内で開業）の著書から引用します。


司法と世間との間にはズレがあるという点。それが今、一番言いたいことです。

最高裁判決で殺人罪が確定したわけですが、実は私は何も困っていないのです。

言い換えれば、「実害」、そして有罪になった実感がない。

だから、「殺人劇を演じて」という本のタイトルを提案したこともあります。

司法が私を「殺人者だ」と判断するなら、一般の人もそう思わなければいけない。

しかし、少なくとも私の周囲の人はそう考えていないのです。司法が、世の中と合っていない。

だから、なぜこうした状況になっているのか、それを明らかにしたかったのです。

また今回の件では、司法以上に、医師たちの反感というか、問題視する声が強いのではないかという思いもあります。

さらに、最高裁判決では、「本件（気管チューブの）抜去行為は、法律上許容される治療中止には当たらないというべきである」とされています。

終末期医療における延命治療の中止が、「殺人罪に当たる」とされていいのかという問題提起の意味もありました。

患者さんが亡くなられた後も、ご家族は川崎協同病院を受診されており、私も2～3回診察をしています。

事件が公になった後も、私は遺族から直接何か言われたことはありません。

いったいこの事件の被害者は誰なのか、私はいまだによく分かりません。

須田被告は、将来の介護による家族の経済的負担を除去しようと考えた、と動機を明かしています。

「寝たきりでも生き続けてもらいたい」「集中治療室から一般病棟へ移ったので回復に向かっていると思った」との家族の願いをよそに須田被告は延命治療の打ち切りを決意。

カルテに「あまり汚れないうちに終わりにしてあげたい」と書かれていました。

「皆さんお集まりになりましたか。では抜きますね」。

入院15日目、集まった家族の前で須田被告は何の説明もなく気管チューブを抜きました。

「頑張らなくていいのよ。今、楽にしてあげるからね」。

筋弛緩剤の投与前後に須田被告は患者に声をかけたそうです。

検察側は、「延命治療の中止は、自分の倫理観で行っていた」「回復困難な患者の治療を早期に打ち切る考えが強かった」と事件の根底にある須田被告の個性を指摘しました。

（3）富山県、射水（いみず）市民病院の事件：この事例は、著者的にはメサコン医師の暴走ではないグレーゾーンの事件であると考えています。

2006年3月25日、富山県にある射水市民病院の病院長が記者会見を開き、2000年から2005年にかけて、7人の患者が外科部長によって人工呼吸器を取り外されて死亡していたと発表しました。

報道によると、患者は50歳代から90歳代の男女で、7人いずれも意識がなく、回復の見込みがない状態（5人は末期がん）でした。

また、同院長の説明によると、この7人のうち、1人のカルテについては、家族を通じて本人の同意が得られていることが記載されており、残りの6人については、家族の同意のみが得られたことが記されていました。

この事件がきっかけとなり、行政や学会で終末期医療に関するガイドラインを作る動きが活発化

しました。

例えば、厚生労働省が２００７年６月にまとめたガイドラインでは、医療・ケアチームと患者・家族らによる慎重な手続きを踏まえた決定の必要性が強調され、２００７年10月に日本救急医学会が公表した指針で、治療中止が許される４類型が提示されました。

①不可逆的な全脳機能不全（脳死診断後や脳血流停止の確認後などを含む）であると十分な時間をかけて診断された場合。

②生命が人工的な装置に依存し、生命維持に必須な複数の臓器が不可逆的機能不全となり、移植などの代替手段もない場合。

③その時点で行われている治療に加えて、さらに行うべき治療方法がなく、現状の治療を継続しても近いうちに死亡することが予測される場合。

④回復不可能な疾病の末期、例えば悪性腫瘍の末期であることが積極的治療の開始後に判明した場合。

富山県の射水市民病院で起きた延命治療中止問題は全国に大きな波紋を投げかけました。「７人が死亡」と大々的に報道されましたが、実は死亡した患者それぞれの病室で何が起きていたのかは不明な部分が多いです。

２００６年10月14日（土）放送の第15回ＦＮＳドキュメンタリー大賞ノミネート作品『延命治療中止〜射水市民病院で何が起きていたのか〜』（制作：富山テレビ）〈深夜３時55分〜４時50分〉では、人工呼吸器取り外しの中心とされた医師や関係者の証言をもとに身近な病院で何が起きていたのかを探っています。

（番組内容）

２００６年３月、富山県の射水市民病院で入院患者の人工呼吸器が取り外され、７人が死亡していた事が明らかになりました。

（中略）

取り外しを行ったとされたのは、外科部長（50歳）でした。

事態を重く見た病院は警察に報告。警察は殺人の疑いも含めて慎重に捜査を始めました。

人工呼吸器の取り外しに代表される延命治療の中止は、「消極的安楽死」と呼ばれ、薬物注射などで患者を死亡させる「積極的安楽死」とは区別されます。

しかし、「消極的安楽死」の犯罪性が争われた裁判はないのが現状です。

（中略）

医療の世界は高い専門性があり、密室性も高く、真相は藪の中に置かれたままです。

（中略）

医療界の重鎮たちが、外科部長の行動を「法に触れるおそれがあり、倫理的に問題がある」と指摘したのに対し、患者の家族は、「外科部長は親身になって尽くしてくれた」と話し、市民は、「家族が取り外しに同意したならば、問題はないのではないか」「延命治療など受けたくない」と話したことです。

これは患者側が問題の本質を理解していないためなのか？

それとも医療を提供する側と、受ける側の認識の違いなのでしょうか？

入社１年目の角田悠紀記者もギャップに直面していました。

（中略）

口を閉ざす外科部長を説得して、単独インタビューにこぎつけた角田記者ですが、「自然な死を迎えさせてあげたいという家族の意向を踏まえて人工呼吸器を外した」と語る外科部長の一言一言は、自分の想像を超えた苦悩に満ちた世界でした。

関係者の証言をもとに番組は展開していきます。

1つは「延命」と「救命」の違いです。
死亡した7人のうちの1人、50代の女性に人工呼吸器が装着されたのは去年3月。胃がんの切除手術を受け、療養中でしたが、インフルエンザが悪化して頭の中に血液があふれ出す重篤な状態になったためです。

しかし、病状は好転せず、回復の見込みはなくなりました。

女性は前々からチューブにつながれて延命するのはいやだと話していたため、家族が人工呼吸器取り外しを依頼しました。

外科部長は人工呼吸器を取り付けた理由を、単に生存日数を延ばすためではなく、救命目的に取り付けたと語りました。

(中略)

射水市民病院の問題が明らかになり、医療の世界では終末期医療の何らかのルールの必要性が叫ばれる一方、画一の物差しで規定するのは危険だとする意見も上がるなど、少しずつ議論が高まっています。

また、患者の側も、自分はどんな死を望むのかと考え始めた人も少なくありません。

医療の進歩によって、難病が克服され、寿命が延びるなど現代人は恩恵を受けていますが、その一方で、生と死のはざまの境界線は広がり、延命治療は境界線ぎりぎりのグレーににじんだ部分に立っています。

（中略）

（制作者コメント）

射水市民病院の延命治療中止問題について、公表から2ケ月目に制作したのがこの番組です。普遍性が高いテーマ領域で苦悩したスタッフですが、逆に問題の本質は何なのかを見つめ直すきっかけになりました。

医療者の暴走について、追加の考察

●WEDGE REPORT　130人に「死の処方」ドクター・デス、90年代の米、「京都」と共通点。樫山幸夫氏（元産経新聞論説委員）の記事からの引用です。

メサコン医師の暴走について語りましたが、医療者の中には、患者の生殺与奪の権利を握る、人の生き死について、神の如く絶大な権力を振るう、そのような傲慢な極まりない気持ちに陥る医療者が、確かに存在します。

Ｄｒ．Ｄｅａｔｈ（死の医師）事件というのが、アメリカでありました。

１９９０年代、この不気味な呼び名を奉られたアメリカ人医師は、１３０人の患者を安楽死あるいは自殺をほう助して、社会を震撼させました。

ミシガン州出身のジャック・ケボーキアン医師が、１９９８年11月、ＣＢＳテレビの人気番組「60ミニッツ」で、ＡＬＳ（筋萎縮性側索硬化症）を患っていた52歳の男性を致死薬注射で安楽死させる様子を収めたビデオを公開して、視聴者に衝撃を与えました。

同医師はこの番組で「私を裁判にかけるか、さもなければ安楽死をやめさせてほしい」と当局に呼びかけ、自らの行為について法的な裁きを訴えて、翌春に禁固10〜25年の判決を受けて収監されました。

ケボーキアン医師が「Ｄｒ．Ｄｅａｔｈ」としての仕事を始めたのは１９８７年で、デトロイトの新聞に「死のカウンセリング」の広告を出し、１９９０年、広告を見て連絡してきた54歳のオレゴン州の女性の自殺の手助けをしました。

この女性は、アルツハイマー認知症と知的障害の症状がありました。

マイカーのフォルクスワーゲンのバンに、手製の〝自殺装置〟を据えつけましたが、３本の薬品瓶や部品は、金物屋などから計45ドルで購入したもので、「45ドルの自殺装置」と呼ばれました。

場所はミシガン州内の公園で、他人の土地で患者を安楽死させて、あとになって問題が生じた場合を配慮して、公園を選択しました。

　致死薬を注入するボタンを押すのは、患者自身で、ケボーキアン医師は、「いい旅を」という言葉で見送りました。

　この事件は後に表沙汰になりましたが、ミシガン州で自殺ほう助禁止に関する法律が存在しなかったため、刑事責任を追及されることはありませんでした。

　１９９６年にミシガン州で「自殺クリニック」を開設して、「60ミニッツ」に出演したのは、その2年後のことです。

　１９９０年から１９９８年までの間に、安楽死、自殺ほう助した患者１３０人について、同医師の地元、ミシガン州のデトロイト・フリー・プレス紙は、「末期」と診断された患者は、このうちの40%にすぎなかったと報じました。

　ケボーキアン医師は、テレビでの安楽死放映後に収監されたミシガン州内の刑務所で8年半刑期をつとめ、２００７年に体調が考慮されて仮出所を許されました。


　メサコン医者は、劇薬の医薬品をよく用いますが、毒殺犯と多くの共通点を見受けます。

　毒殺の主要な動機は、愛欲と保険金・遺産目的の金銭欲に分類されますが、毒殺犯の心理は、そんな単純な動機で割り切れるものではなく、マニアックな快楽、サディスティックな悦びに浸る殺人愛好家というのが、実態のようです。

　歴史上有名な毒殺魔は、ジョン・ディクスン・カー（１９０６～１９７７年、アメリカ合衆国の推理小説作家）の小説『火刑法廷』（１９３７年）のモデルになった17世紀の毒婦ブランヴィリエ侯爵夫人です。

ブランヴィリエ侯爵夫人は、パリ市立慈善病院を度々訪問しては、貧しい人たちへの見舞いと称して毒入りのブドウ酒、ビスケットを配りました。

そして、侍女、父親、兄弟、夫、頭の悪い自分の娘、昔の恋人と手当たり次第に砒素《ひそ》で毒殺していきます。

女性２人と子ども１人を毒殺したドイツ、バイエルンに住む弁護士の未亡人アンナ・ツヴァンツィンガーは、１８０９年の裁判で、殺すことが病みつきになり、人を毒殺するのをやめることは不可能だったと裁判長に語り、砒素のことを「最も信頼できるわが友」と呼んでいました。

日本では、戦後有名な帝銀事件（１９４８年１月26日、東京都豊島区長崎の帝国銀行椎名支店に現れた男が、行員らを騙して12人を毒殺して、現金と小切手を奪った銀行強盗殺人事件）がありましたが、犯人は男性で、使われた毒は青酸カリでした。

福祉社会になってきた現代では、新しいタイプの毒殺とでもいいましょうか、医療連続殺人が増え、これらの事件は、老人や病人を収容している施設で起こります。

１９８１年11月、ロサンゼルスで12件の殺人容疑で逮捕されたロバート・ディアスという当時42歳の夜勤看護師は、「慈悲の殺人」ということで、大量の心臓薬リドカインやモルヒネを患者に注射して殺していました。

１９８３年３月、アーンフィン・ネセット博士が、ノルウェー中部のオークダル・ヴァレー・ナーシングホームで自分の担当患者22人の老人を殺害したかどで有罪になりましたが、筋弛緩剤を静脈注射していました。筋弛緩剤は、呼吸筋を麻痺させる作用があります。

ネセット博士は「あんまり大勢殺したから、何人か覚えていないくらいだ」と供述しましたが、ネセット博士の犯行の動機については、慈悲の殺し（患者を安楽死させる）というよりも、殺す快感、殺したいという病的欲求が主な動機でした。

１９８９年４月、ウイーンで裁かれたヨーロッパ史上最大の連続殺人には、ラインツ病院に勤務していた４人の看護師が関与していましたが、６年間で少なくとも49人が殺されました。

最も頻用された手口は、毒殺ではありませんが、患者の鼻腔をふさいだまま喉に無理矢理、水を流し込むという方法で、これはほとんど証拠を残さない殺人ですが、被害者にとっては苦痛の大きな殺され方です。

それ以外の手口は、インスリン、睡眠剤の投与などです。

犯行の動機は、殺すことによって他人の生死を支配する力を得ることができたという権力欲と支配欲、あとは面白さということで、迷惑な問題のある患者、自分たちを怒らせた患者が、犠牲者になりました。

科学と医学の進歩とともに毒の種類、毒殺の手口も変遷してきましたが、現代は医薬品ですら毒のように使われるので、恐ろしいことです。

最近の日本で起こった記憶に残る事件をあげます。

①和歌山毒物カレー事件：

ウィキペディアから引用します。

　１９９８年７月25日夕方に和歌山県の和歌山市園部で発生した毒物混入・無差別大量殺傷事件。地区で行われた夏祭りにおいて提供されたカレーライスに砒素が混入され、カレーを食べた67人が急性砒素中毒になり、うち４人が死亡。

　主婦の林眞須美（はやしますみ）が被疑者として逮捕・被告人として起訴され、殺人・殺人未遂・詐欺の罪に問われ、２００９年５月19日に最高裁判所で死刑が確定。

　２０２１年５月31日に和歌山地裁において再審請求が受理されました。

　林眞須美容疑者は、カレー毒物混入事件発生の約１年半以内という近接した時期に保険金取得目的で、１９９７年２月６日から翌１９９８年３月18日まで合計４回にわたり人の食べ物に砒素を混入しますが、どれもカレー事件前には発覚せず、まんまと保険金をせしめることに成功しました。

　当局は、林眞須美容疑者が「カレー毒物混入事件に先立ち、長年にわたり保険金詐欺に係る殺人未遂等の各犯行にも及んでいて、その犯罪性向は根深いものと断ぜざるを得ない」と考えました。

殺人＋保険金詐欺は、自らの手を汚すことなく、苦労なく支配欲 ＋ 金銭欲を満たすので、一度はまると、病みつきになる傾向が強いです。

第２次再審請求を起こしたことが報じられた２０２１年6月9日、林眞須美容疑者の長女（当時37歳）が娘（次女、当時４歳）とともに関西国際空港連絡橋から飛び降りて無理心中して、もう１人の娘（長女、当時16歳）はその２時間前に自宅で死亡しているのが発見されました。

真相は藪の中ですが、悲惨な負の連鎖が続きました。

②大口病院連続点滴中毒死事件：
ウィキペディアから引用します。


神奈川県横浜市神奈川区の大口病院（当時、現・横浜はじめ病院）で２０１６年９月に発覚し、２０１８年7月、同病院で当時勤務していた看護師が逮捕された連続殺人事件。

被害者として立件された死亡者２人の他、同時期に死亡していた別の２人の入院患者の遺体からも消毒液のヂアミトールが検出されました。

事件発覚前の7～9月の82日間で48人の患者が死亡し、その後の約70日の間は死亡者ゼロということから、４人以上の被害人数が疑われましたが、発覚以前の死亡者は、医師の診断により「自然死」扱いで火葬されていたため、証拠は失われました。

事件は２０１６年9月、最初に判明した被害者の容体が急変した際、看護師が投与中の点滴袋をベッドの上に落とし、袋内の輸液が急激に泡立ったことから偶然にヂアミトールの点滴混入が発覚。

さらに調べると、2日前に同じ部屋で死亡した別の患者の遺体からも同成分が検出されました。

ナースステーションに残されていた未使用の点滴袋約50個を調べると、10個の点滴袋でゴム栓部分に封をする保護フィルムに細い針で刺した穴が見つかり、同じフロアで亡くなった患者の数が、事件発覚までのおよそ3ヶ月の間に48人に上ることが明らかになりました。

神奈川県警察は、何者かが点滴から異物を体内に入れ、被害者を殺害した殺人事件と断定して、神奈川警察署に特別捜査本部を設置。

点滴に混入させる手口から病院内部の者による殺人の犯行が疑われましたが、捜査は難航。

犯行に使われたヂアミトールは、業務上使われるもので、院内各所に置かれており、犯人を特定することは困難を極めました。

当時担当していた看護師全員の看護服を調べたところ、被疑者の服からだけポケット付近からヂアミトールの成分が検出されました。

他にも、被疑者が事件発覚直後の夜勤中、投与する予定のない製剤を手に院内を歩き回る姿が県警の設置した防犯カメラに映っていたことや、被害者の病室に1人で入っていくのを同僚が目撃していて、そのおよそ5分後に容体が急変して死亡していた、といった状況証拠から犯人を絞り込んでいきました。

「点滴にヂアミトールを入れた」ことに関して、「間違いありません」と容疑を認めた上で、「入院患者20人ぐらいにやった」と供述。

> 犯行の動機については、「自分の勤務時に患者に死なれると、家族への説明が面倒だった」という趣旨を供述し、さらに「患者が亡くなった時に同僚から自分の落ち度を指摘されたことがあり、それ以来、勤務時間外に死亡させることを考えるようになった」「勤務を交代する看護師との引き継ぎの時間帯に混入させていた」「混入を繰り返すうちに感覚が麻痺していった」とも話しています。

（事件の被害者として最初に立件された２人の患者のうちの１人は、大口病院転院前まで著者が主治医を務《つと》めていました。２０１６年４月14日に大口病院に転院され、４月20日の午前４時55分、転院してわずか１週間足らずで亡くなりました。
著者は、警察の事情聴取を受けましたし、とてもショックでした）

③赤間恵美容疑者の茨城県介護老人保健施設「けやきの舎」殺人事件：

赤間恵美容疑者は、２０２０年７月６日午後０時半頃、茨城県古河市仁連《にれい》の介護老人保健施設「けやきの舎（いえ）」で、入所者の無職吉田節次さん（当時76歳）の脚につながれた点滴のチューブに注射筒（シリンジ）をつないで空気を注入し、空気塞栓症による急性循環不全で死亡させた疑いで、逮捕されました。

吉田さんは寝たきりの状態ではありませんでしたが、救急隊員が駆けつけた時には心肺停止の状態でした。

赤間容疑者は同年四月下旬頃から、介護職員として勤務。

事件当日に自主退職。
赤間容疑者が不審な動きをしていたという情報が県警に寄せられていました。

著者の本音

①『見捨てられる〈いのち〉を考える』の中の島薗進氏の発言を繰り返します。
「一方で、現代社会では、いのちは自分のものだという何か大きな錯覚があります。生きることの中には自分の力だけではない要素が大きい、人とともにある、あるいは与えられている、恵まれている部分があってこそ自分のいのちがある、そういう感覚がありましたし、今も残っています。

　そういう意識があるからこそ他者との連携が可能になり、謙虚になれるとともに、欲望に囚われずに自由でありうる。　そうしたいのちの理解が重要ではないかと思います」という文章が、著者の心に刺さりました。

②自分の生命を自分１人の所有物と見なして、自己責任を貫く。
　さらに世の不条理を受け入れないゼロリスク信仰が加わり、自分の人生を完全にコントロールし

ようとする。

この思考を突き詰めていくと、人生の終着点に至る終活は、「自殺」「自死」という行為に辿り着きます。

自死について、心に残った本を二冊、紹介します。

ものすごく有名な本は、『自死という生き方——覚悟して逝った哲学者』（２００８年）立命館大学の哲学講師、哲学者の須原一秀さんの著書です。

『バビロン』（野崎まど著、講談社、２０１５年）

自死の権利を認める「自殺法」と、人を自死に追いやる能力を持つ曲背愛という謎の女が絡んだサスペンス小説で、テレビアニメ化された作品を観て、著者はこの小説の存在を知りました。観ていて胸が悪くなるショッキングな内容ですが、作者の想像力と筆力には脱帽です。最近の大きな話題です。

２０２２年６月に公開され、２０２２年カンヌ映画祭の特別表彰に輝いた映画『ＰＬＡＮ75』。早川千絵監督、倍賞千恵子さん主演の映画で、75歳以上の高齢者に自らの生死を選択できる権利を与える制度「プラン75」が施行された近未来の日本が、その舞台です。

人の生命を生産性で判断して、自己責任を強調し、社会に役に立たない人間は生きている価値がないと見なす恐るべき社会の出現を描いた作品です。

③そんな不毛化する社会の中、他人の生命を自由に操る神のような全能感に酔いしれる自己中のサ

イコパスというべき医療者の出現。

支配欲の上にさらに保険金詐取で金銭欲をも満たそうとする毒殺犯。

両者の出現は、昔から続いています。

④自分を含めて現代人は、南海の孤島で、一人で生きているわけではなく、日本という国家における社会、共同体の一員として生きています。

共同体と個人。

一人ひとりの人間は、全体目的＝よりよい社会の構築を目指す一員として行動する。

個体目的＝幸福の追求 ＋ 自己実現を目指す。

全体目的と個体目的という二重の目的があります。

共同体の力、要は財力＝お金の余裕によって、個体目的の範囲は、狭められて制限されたり、逆に大きく広がったりと、振り子のように揺れ動きます。

限りある財源の中で、全体目的と個体目的のよりよいバランスを目指す。

そのためには、「利他」という視点に軸足を置く必要があります。

「ありがとう」の反対語は、「あたりまえ」といわれています。

何事も当然のごとく受け入れて感謝しない。

自分にばかり目を向ける自己中ではなく、自分の周囲の人＝配偶者を含む家族・職場の仲間、友人知人に目を向けて、それらの人たちをささやかではあっても喜ばせてあげる気持ちを持つことが大切であると思います。

4　SNSと若者

●『シン・サラリーマンの心療内科―心が折れた人はどう立ち直るか』遠山高史著、プレジデント社、2020年

遠山高史氏：
1949年、新潟生まれ、千葉大医学部卒業後は精神病院勤務を続け、1985年より精神科救急医療の仕組みづくりに参加。
自治体病院に勤務し、2005年より同病院の管理者となる。
自治体病院退職後、2014年に桜並木心療医院を開設。現在も診療を続けている。

この章では、この本をもとにSNSについて考えてみたいと思います。

●50～51頁

第2章　「共感力」が育たない社会　「ノー」と言えぬ若者の自我

押しなべて若者はノーと言うことに長けているとは思えない。
そもそも「引きこもり」はノーの意思表示ではないし、ノーと言ったら虐められるのではないかと恐れ、危険を避けることで引きこもりは起きる。

闇雲な拒絶反応も、ノーを突き付けることとは違う。

むしろきちんとした人間関係が作れないため、ひたすら他者を避けるのである。

また、ノーと言えずに相手に呑み込まれてしまうと過剰反応に陥ることもある。

怪しげな取引の保証人になったり、悪事の共犯者になりかねない。

何でも引き受けてしまうのは、ノーと言う勇気を欠いていることである。

最近の若者がきちんとノーと言えなくなっているのは、群れの体験の希薄化と、自我の壁に穴を開けるネット社会によるのだろう。

動物としての人間と機械としてのパソコンに共感はあり得ない。なぜなら機械に自我がないからである。

そこにあるのは「疑似自我」であり、それを自我と錯覚した若者は、知らぬ間に自我の扉を緩めてしまう。

だからおよそ人が考える悪しきことのすべてがネットから流れ出る。

（注　著者が傍線を引きました）

文科省が計画している倫理教育ではこれを止めることはできない。

少子化とネット社会での自我の鍛え方はまだ日本の教科書には書かれていない。

●57～59頁　「離散的社会」の孤独な少女たち

自殺者は統計では減少しているかに見えるが、「死にたい」という思いを抱く人々は増加しているのではないか。

私の診療場面でも、そういう人々が増えている。

核家族化や少子化は、人との共感力を育みにくい。

個人を過剰に重視する傾向も共感力を遠ざけやすい。

人と人との交流が少ないほうが気楽だ、ネットのほうが気楽だという人が増えている。

再三指摘してきたが、ネットは共感力を育まない。


共感しあうためには、相互に交わすさまざまな情報の重み付けが一致していなければならず、一致させるためにはリアルな交流が欠かせない。

自分の衝動や欲求を抑えねばならない分、エネルギーがいる。

それは大きな力となる一方で、面倒で骨の折れる作業でもあるのだ。

仮想空間の中では、情報の重み付けは自分の思い込みだけでできてしまう。

悪しき衝動を制御し我慢するエネルギーもいらない。


（中略）


「一緒に死のう」と言われれば、孤独な魂ほど死への衝動に容易に突き動かされやすい。

１９９７年３月26日、アメリカ・サンディエゴで起きたカルト教団「天国の門」の39人集団自殺事件も、村社会的な群れを嫌う離散的なアメリカ社会のスキを突き、ネットで死を煽った結果ではなかろうか。

相次ぐ銃乱射事件も、銃の問題よりアメリカの離散的社会のせいではないか。密着した人間関係の中で育まれる共感力によって、殺人衝動も抑えられるが、今のアメリカに昔の東洋的社会のような人と人との密着性が育っているとは思えない。

今の日本社会は明らかに離散的である。

そういった社会から自殺願望を持った9人の女性を死に至らしめた座間の殺人鬼も現れたように思う。

定職もなく、孤独な生活者に、殺人を制御する「惰性」は育まれにくい。

それには人と人との共感が必要だからだ。SNSでやすやすと8人もの少女たちを呼び寄せられたのも、ネットが離散的社会の孤独な少女たちの衝動を引き出したからであろう。

人の脳が、特に抑制系の新皮質が他の動物より発達したのは、集団生活を営むうえで必要な共感、衝動の抑制という「抑制力」がより必要であったからという説を私は信じている。

●87〜88頁

第3章　他者の不在が自我肥大を招く　文明が生む予測不能な攻撃者

昨今の人間は自分が自然の一部であることを忘れ、自然が好きと言いながら、直接の触れ合いを避けている。

美しいバラを育てている人は、かなりの殺虫剤を使用している。山の豪華な別荘にも車で乗り付ける。

文明の産物である殺虫剤や車に頼り「自然もどき」を自然と勘違いしているだけである。

最近、激増するアレルギー疾患や自己免疫疾患は、自然と「人の内なる自然」との適正な交流を欠くことで生ずる免疫の混乱と信じられ始めている。

精神的な変調のいくつかが、過度に清潔な環境に生後置かれたことによって引き起こされることもほぼ証明されている。

文明に浸食され、自然との交流を欠いていると、精神の制御を司る「自我」が脆弱化し、人は衝動的となるのである。

かかる事象を文明を興した人類は予測する術がなかった。

昨今の環境破壊もそうだが、文明自体が予測不能なおぞましい事象を増やしている。

新幹線の中で人を殺傷した青年も、交番を襲い拳銃を奪った青年も、引きこもりの経験があったという。

１人は家を出され、１人は仕事についてゆけず経済的に行き詰る中で犯行を決意したように思えるが、両者の犯行が予測不能性を帯びているところも特徴である。

人が予測不能な行動に走るのは、己の内なる自然が脅かされた時に違いない。

彼らは、文明に頼らずに生きる方法を知らなかったから、文明からの恩恵が途絶えそうになった時、文明によって脆弱化していた彼らの自然が、文明の誇る「安全装置」に向かって破壊行為を企てたように思えるのである。

●91〜93頁

『めぞん一刻』（高橋留美子さんの漫画。「時計坂」という町にある「一刻館」という名前の古いアパートの住人・五代裕作と、管理人としてやってきた若い未亡人・音無響子を中心としたラブストーリー）の幸せな瞬間

人の心は、自我という皮に包まれた風船のようなもので、思いには制限がかかり、我を通せる限界がある。

それを知らしめるのが、他者という大気圧である。他者との関係が希薄化すれば、自己は肥大化しかねない。

五代の思いは、いつも挫折し、外圧に屈してゆくが、一瞬ピンク電話によって思いが障害を乗り越えて届いたことが、すこぶる幸せな瞬間を作り出したのかもしれない。

ただそのためには、そこに至るまでの、生身のやり取りが不可欠である。

インターネットには、かかる大気圧に代わるものがない。大気圧は、人と人の交わりの中で生じる。

それはひどく面倒で、時間もかかり、今時は受けが悪い。

ＩＴが世を席巻しているのも、面倒なプロセスをできるだけ省略することで成り立つ技術だからである。

メールやＳＮＳでの交流にも、血の通う触れ合いはなく、面倒ならスイッチ１つで消すこともできる。

思いに制限を加えるものがないネット空間では、自我を増幅し続け、まるで世界を支配する神のような心境に至らしめるのではないか。

ゲーム依存も、すべて一人で決定して好きなだけ繰り返してゆけるところに快感があるのであろう。

そこに達成感はあるにしても、他者からの批判や注意、意地悪もなければ、愛もない。

（中略）

他者に干渉されず、思いのままに振る舞えるネットに浸るうち限りなく心は肥大化する。まるで王のように。

核家族、少子化で競争相手のない家の中で、自分の部屋という城でネットに浸り、親を奴隷のように使い、傍若無人に振る舞う「小さな王たち」についての相談が、後を絶たない。

●１５５〜１５７頁

第5章　カオスからの使徒、コロナウイルス　「死にたい願望」に囚われる少女

死にたい願望を持つ若者は肥大化したプライドを持っていることが多いが、実際には持たされているというのが正しい。

由来は親や学校、メディアからである。高すぎるプライドは、自らの進むべき道の選択肢を極度に狭めてしまう。

なぜもっと柔軟に考えられないのだろうか。

記憶には、体験を伴わない書物や教育、メディアを通じて得られる「陳述記憶」と体験（必ず身体運動を伴う）に基づく「手続き記憶」とに大きく分かれる。

このうち陳述記憶には、あまりにしっかり埋め込まれると新しい知識をはねつけるという厄介な性格がある。

学業やネット情報などリアルな体験に基づかない知識で脳内が凝り固まると、新しい情報を受け付けず、本人は自覚のないまま肥大化して、現実離れした考えを起こしやすくなる。

最近、自殺は全年齢では減少しているが、２０１７年の厚生労働省の統計によれば小中高生の自殺率は増加している。

いじめが直接の原因とされるのは全体の２パーセント程度であり、自殺率の増加にいじめが関係しているわけでもなさそうだ。

むしろ最近の子供たちの運動能力の低下と相関しているのではないかと思えるのである。

子供たちに重度の近視が増えているのは外で遊ぶ機会が減ったせいだと眼科医は言うが、希死念慮の増加もまた、太陽の下で身体を動かして遊ぶことが減ったせいであると私は考える。

生身の体験によってしか凝り固まった知識をほぐすことはできない。

しかし、死にたいと訴える患者のほとんどは農業のようなアウトドアでのこまめな運動を好まない傾向がある。


（中略）


1日10時間もゲームばかりやっている少年が、日本の馬がフランスの凱旋門賞で1着になったら死んでもいいと真顔で言った。日本の馬が勝とうが負けようが、君の人生に関係がないだろうと言うと、それでも構わないと答える。

こういう唐突な結びつけも、脳と身体の乖離がもたらしたものであろう。

乖離はしばしば不安をもたらし、容易に死の衝動にも結びつく。

自然と一体となった運動こそが、その乖離を解消しうるはずである。

●158～160頁　ネット依存では多様性を捉えきれない

登校を渋る子供たちの多くが、クラスの仲間のいる教室に入るのが苦痛であるという。

同じ宿題、同じ試験問題で出来不出来による差別化が起こる。

同じ年齢を一律に集めると成績順が歴然としやすく、クラスの仲間は友達である以前に競争相手になってしまうのだ。

アメリカには例えば1年生から6年生まで一つにまとめた縦割りクラスで教育する学校がある。

そうした環境では子供たち相互の関係がパターン化せず、より多様になる。

上級生は自ずと下級生の粗暴な行為を抑止し、弱い子供を保護しようとするため不登校やいじめは起きにくい。

1軍、2軍、3軍カーストといった格付けをしあう「スクールカースト」を生じにくいだろう。

（中略）

不登校に陥りやすい子供たちは、多様な価値観が許容されるコミュニティー経験に乏しいことが多い。

平等を掲げ、均一を是とする価値観を押し付けられると、どうしていいかわからなくなりやすい。

適応の程度によって序列化されることを嫌い、引きこもるようになる。

ネットは窮屈な現実に辟易する子供たちの前に開けたいわば別天地である。

ネットやゲームのコミュニティーにひとたび入り込めば、いかような生き方も許される自由があり、常に主人公であり続けられる楽園が広がる。労せずして脳の快楽中枢を満足させうるのである。

　しかし、そこは多様性に富むように見えて、パターン化された関係の繰り返しの世界でしかないことに思い至らない。


　以上で、『シン・サラリーマンの心療内科』からの引用は終了です。

「文は人なり」と、著者は考えております。遠山高史氏の文書を読んで、まるで面識のない未知の先生ではありますが、親近感といいますか、フッと心が通じ合うものを感じました。

　本著では、原典をたくさん引用させてもらっていますが、「文は人なり」。

　著者と読者、同じ文章を読んでも、著者が伝えたい内容、読者が受け取るメッセージ。

　それらは、複雑な多面体のようにどこから光を当てるかによってまったく異なる色合いを見せるので、読者＝レシーバーの立ち位置と感度により、受け止め方は百人百様になります。

　引用させてもらった原典の文章の行間からは、それぞれの著者の強烈な波動を皮膚感覚で体感させられますが、どのように感じ取るかは、受け手の感受性に依存します。

　例えば、日本の幕末、磊落豪勇（らいらくごうゆう）の典型的人物である坂本龍馬が、西郷隆盛に初めて接した時、「あれは大きな鐘のような男だ。小さく撞けば小さくなり鳴り、大きく撞けば大きく鳴る」と評し、それを聞いた勝海舟は、「評する人も人、評せらるる人も人」と感嘆したそうですが、原典からどのような波動を受け取るか。

読者＝レシーバーの皆さまのハートに何が残るか。

自分は、著者との真剣勝負の思いで、原典と対峙しています。

時代とともに移ろう若者と社会の変遷

１９５９年生まれの著者は、団塊の世代（１９４７～１９４９年生まれ）から10歳、離れていますが、「新人類（１９５５～１９６７年生まれ）」と呼ばれていました。

その後、中年から老年期に入り、「近頃の若い者は！」という立場になりましたが、若者の変遷にとても関心があり、若者に対するその時代、時代の識者の意見を紹介します。

（１）インターネットの功罪

インターネットはとても便利ですが、インターネット絡みの犯罪が急上昇しました。

世界を結びつける便利なツール、インターネットは、「欲望」というキーワードの裏の顔を持ち、多くの犯罪と悪事が絡んでいます。

インターネット上で、麻薬、毒物、拳銃などの違法物の取引が行われ、チャイルドポルノや無修正ヌードなどのワイセツ画像、殺人や事故現場の悲惨な画像、残酷画像が氾濫しています。

オンライン・ショッピングやネット・オークション、ネット・バンキング絡みの悪質な詐欺事件も多発し、出会い系掲示板を利用したメールナンパ、スワッピング・乱交の勧誘などの公序良俗にもとる勧誘が行われています。

個人情報の暴露、脅迫を含めたプライバシーの侵害と名誉毀損。

ありとあらゆる欲望に取り憑かれた人間たちが、インターネットというバーチャルな世界を徘徊し、バーチャルな世界から現実世界へと跳躍する輩も大勢出現しています。

日本の過去における具体的な事件を紹介します。

①1999年7月、裏系ではないごくごくふつうの掲示板にピアニストを名乗る女性（23）が、自分の名前といっしょに「殺してほしい女性がいるのです。

彼女が生きている限り、わたしは自殺しなければなりません。

彼女の家族を傷つけずに彼女を抹殺する方法はありませんか?」というメッセージをターゲットの女性の実名、住所ともどもネット上で公表しました。

たまたまそれを見た北海道警の警察官が、京都府警に通報。

事件になり、「殺人教唆」の罪で京都府亀岡市のピアニストの女性が逮捕されましたが、そのピアニストの女性と被害者の女性（29、主婦）は、数度言葉を交わして面識がある程度の間柄で、殺人依頼の書き込みをする直前の演奏会で曲構成を批判されたことを恨んでの犯行でした。

ターゲットにされた主婦は、警察から事情を聞かされて大ショックを受け、「怖い」と泣き出して、その後外出できないほど怯えたそうです。

掲示板の上でのちょっとした行き違い、口論から逆恨みされて、つきまとい、ストーカー行為の犠牲になるケースもよくあります。

②１９９８年６月、「大阪府歯科医強姦致傷事件」が起きました。

アダルト系、それも痴漢系の掲示板に京都在住のカーリース会社の会社員（30）が、「本気でレイプしたい人、募集！ いっしょにやってみませんか？」という伝言を書き込んだのがきっかけです。

その書き込みに乗ったのが、大阪在住の38歳の歯科医師で、２人はネット上で連絡を取り合い共謀。

「ミニスカートの女性を狙おう」ということになり、ワゴン車で女性を物色。

大阪府高槻市で23歳のＯＬを拉致しようとして失敗。

車のナンバーを覚えていたＯＬの通報で警察に逮捕されました。

会社員と歯科医師は、お互いに「たろう」「小沢」とハンドルネームで呼び合う間柄で、それ以上お互いに深く相手のことについては知りませんでした。

アングラ系の書き込みについては、斯界《しかい》の人にいわせると、「レイプ共謀の書き込みは、トイレのエッチな落書きと同じ感覚」ということで、本気にしないで無視するのがふつうの人のふつうの反応ですが、この事件ではその書き込みに乗った人がいました。

インターネット上を横行している個人の妄想が、空想の世界を飛び出して、現実の世界へと飛躍してしまった例ですが、男性がインターネットを始める大きな理由は、エロサイト、無修正写真を見たいというのが大きな理由なので、心の中だけに収めておくのか、現実世界で実行に移すのか。

その一点が、犯罪者になるか、ならないかの違いといえるかもしれません。

③１９９８年12月、東京都杉並区在住の１人の女性が、札幌から宅配されてきた青酸カリを服用して自殺する事件が起きました。

青酸カリの送り主は、インターネット上で青酸カリを販売していた草壁竜次を名乗る男性。

その男性もその後に自殺しますが、この事件は、「ドクター・キリコ」事件と呼ばれています。

自殺した草壁は、手塚治虫さんの漫画『ブラック・ジャック』に登場するドクター・キリコを自称して、ネット上に「ドクター・キリコの診察室」を開設。

自殺志願者のカウンセリングを行い、毒薬の致死量をアドバイスして安楽死を推奨し、ドクター・キリコを中心に教師と生徒たち、教祖と弟子たちというような神聖かつ奇妙な人間関係が築かれていきました。

④ネット告発。

　１９９９年６月初め、東芝社製のビデオデッキを購入した男性サラリーマンが、商品の修理に関して担当者に暴言を吐かれたとして、インターネット上に「東芝のアフターサービスについて」というホームページを立ち上げました。

　その結果、１ヶ月間で１６０万、トータルで１０００万以上のアクセスがあり、事態を憂慮した東芝の副社長が、九州まで直々に謝りに行きました。

　謝罪が実現して以来、インターネットは権力に対抗する個人の武器であるという評価が定着。

　これまで企業や団体の横暴に対して泣き寝入りしていた人たちに発言の場が与えられるようになりました。

　１９９９年には、牛丼ショップ「松屋」で買ったキムチ牛丼弁当に青ガエルが入っていたことを告発した「松屋牛丼カエル入り事件」がありました。

ただし、ネット告発も多くの問題を抱えています。

東芝事件では、ネット上で公開された映像、音声が隠し撮りであったこと。

牛丼事件では、慰謝料２００万円（５万円が妥当な額）を要求していたことなどが問題点として上げられます。

　それ以外に最近では医療過誤、医療ミスのネット告発が盛んに行われています。

ネット告発した場合、何万人もの人に情報を発するわけですから、告発者に賛成する人、反対する人、目立ちたがり屋の告発者を中傷非難する人。

反応はさまざまで、ネット告発には勇気と信念が要ります。

ちなみにアメリカにはネット告発専門の代理人までいるそうです。

（２）東京国際大学教授・慶應義塾大学教授の小此木啓吾先生『「ケータイ・ネット人間」の精神分析』（飛鳥新社、２０００年）**副題「少年も大人も引きこもりの時代」という著書からの摘要。**

インターネットの５つの魅力を小此木先生は次のようにまとめています。

i　匿名で別人格になれる：インターネットでは、ハンドルネームを使い、都会の大衆の１人、匿名者特有の気軽さで、共通の心理になれる。

例えば、出会い系で、「少しポッチャリ」という自己紹介の女性に実際に会ってみると、ものすごいおでぶちゃんということが、よくあるそうです。

ii　全知全能な自分を感じられる：インターネットのコミュニケーション能力から得られる巨大な情報量に限りない知的好奇心を満たされ、ある種の全能感が湧き起こります。

iii　自分の気持ちを純粋に相手に伝えられる：その場その場の感情に押し流されることなく、とても純粋に自分の言いたいことを自由に相手に送り込むことができます。

iv　特定の人と親密な一体感を持てる：インターネットでオンラインにアクセスするだけで、本物の友達、家族から得られないものをゲットすることができます。

また、新しい友達や家族を持つことができます。

iiiとivからインターネットを通じて知り合って結ばれる男女がよくいますが、冷静になって相手を見直してみて、互いに失望、破局を迎えるというケースもままあります。

v　イヤになったら、いつでもやめられる：関わり合いは一時的なもので、義務や責任を伴わないし、イヤになったら、いつでもやめることができます。

以上のような理由から、人との直接的な関わり合いが苦手で、人間関係を回避して自宅や自室に引きこもる無気力、引きこもりの若者たちの多くは、インターネットへの親和性が強いことが示唆されました。

これらを鑑みて、日本で起きた事件を列挙します。

⑤携帯電話中に事故死

２０００年６月、携帯で電話中の18歳女性が、遮断機をくぐり踏切内に侵入したところ、踏切にさしかかった山陽電鉄（兵庫県）の姫路行き特急列車にはねられて死亡しました。女性は、ふだんからこの踏切の往来に慣れていて、遮断機が降りてもすぐに列車が来ないことを知っていて渡ったようです。

列車の運転手が警笛を鳴らしても、携帯で会話中の女性は、まるで気づいていない様子でした。携帯の彼方の世界に気を取られて、「踏切を渡る」「列車が来る」という現実の世界から乖離してしまったための事故でした。

⑥高速バスジャック事件

２０００年５月３日、当時17歳の少年が、佐賀市から西日本鉄道の高速バスに乗車、乗客を殺害し、翌日、現行犯逮捕されました。

朝日新聞、５月15日づけ朝刊からの引用です。

彼はトップクラスの成績を維持する一方で、（つき合いにくい）と級友から遠ざけられていた。中学3年の終わりには、校舎の階段から飛び降りるように同級生からけしかけられ、床に背中を打ち、約１ヶ月入院した。

うっぷんを晴らすかのようにペットを虐待する姿が何度か目撃されている。

> 高校には9日間通っただけで、外出しなくなった。
> 半年前にパソコンを購入、インターネット仲間とのやりとりにのめり込んだ。
> 部屋に鍵をかけて引きこもるようになったのは、中学卒業から2年近くが過ぎた今年の2月下旬からで、その頃（僕はヒッキーで、現在昼夜逆転中）とホームページに書き込んだ。
> （ヒッキー）はネット上で（引きこもり）を意味する造語。
> 自分が社会とのつながりを断った存在であることを公言していたことになる。
> （自分の中に別の自分がいて、人を殺せといっている）とメモを書いたのもこの時期だ。
> その異常な犯行は、ネットの世界で膨らませた妄想と、同級生や両親への不満が絡み合った結果だったのか。バスジャックの直前、ネットの掲示板には、（佐賀県佐賀市17歳…ヒヒヒヒ…）と犯行をほのめかす書き込みがしてあった。

小此木先生の分析によると、インターネットの世界が彼の犯行を促したというよりは、彼の中に高まっていく疎外感。

父母や世の中に対する怨み、怒りを逆にインターネットの世界がしばらく抱え、かつ彼の心をある程度支える役目を果たしていましたが、しまいにはインターネットだけではうまく抱えきれなくなって、外に出たのではないかということです。

また、佐賀のバスジャック少年に関しては、こういう話が伝えられています。

引きこもりと見なされていたその少年は、両親に連れられて、精神病院、児童相談所、教育センター、ありとあらゆるところを相談に回ったようで、「親は自分に相談せず、医者らだけと相談した」「自分に向き合って欲しかった」と訴えており、親の注意を惹きつけるためにバスジャック事件を引き起こし、殺人まで犯してしまったのかもしれません。

17歳をキーワードに少年犯罪の多発と凶悪化が叫ばれていますが、これまでの少年犯罪は、相手に対する怨み、仕返しなどが動機の喧嘩による殺人事件がほとんどで、この類の事件は最近、減少しています。

２０００年8月25日付の朝日新聞に掲載された広田照幸氏（東大助教授）の論文によると、「戦後数十年間の犯罪・非行統計をきちんと調べてみると、意外なことに他の先進諸国の傾向とは異なり、最近の青少年は、昔に比べて遥かに大人しくなっているし、殺人率も低下し、全体として青少年は、決して凶悪化しているわけではない」そうです。

凶悪非行への関心を喚起しようとするお役所の統計処理や解釈の仕方に問題ありということですが、最近の傾向は、従来の怨みを晴らすという伝統的な殺人ではなく、縁もゆかりもない隣人を犯人の動機不明な思い込みで殺害するということです。

自分の主観世界に引きこもり、バーチャルな世界と、現実の世界の２つの世界の使い分けを止め、バーチャルの引きこもり世界から脱出する時、自分だけに通用する理屈で行動して、その幻想の対象に偶然なってしまった相手が、殺害の対象になるわけです。

この風潮は、宮崎勤事件（１９８８～１９８９年）、酒鬼薔薇少年の神戸連続児童殺傷事件

（１９９７年）から現在へ脈々と続いています。

⑦航空マニアがハイジャック犯に

１９９９年７月23日、羽田発新千歳行き全日空61便が乗客・乗員５１７人を乗せて離陸直後にハイジャックされました。

犯人の西沢裕司（当時28）は、航空会社を志願して大手３社を受験して失敗。

その後、パソコンのフライト・シミュレーターに熱中していた筋金入りの航空マニアで、逮捕後に「レインボーブリッジをくぐって、宙返りしたかった」と供述していたように、シミュレーション・ゲームを本物の飛行機で実践することにすべてを賭けていました。

彼は自分に操縦させろと長島直之機長に強要して、拒否した機長を刺殺。

操縦席に陣取ると、自ら操縦を始めました。

遊びの世界として作られたシミュレーション・ゲームの世界が、西沢にとっては、遊びの世界を超えた現実のもの、実行すべきものとなったわけです。

（３）別冊宝島Ｒｅａｌ００５の『精神科がおかしい』（２００１年）

斎藤環氏（さいとうたまき、１９６１年岩手県生まれ、筑波大学医学医療系社会精神保健学教授）という偉い精神科医の先生が面白いことを書いているので、ご紹介します。

「小説、音楽、映画、ポップカルチャーには、何故傷ついた人々が氾濫しているのか？　見えないはずのトラウマを何故誰もが見ようとするのか？」という見出しで始まり、最初にその具体例として、テレビ化された天童荒太さんのベストセラー小説、『永遠の仔』（幻冬舎、１９９９年）を取り上げています。

簡単に内容を紹介すると、かつて同じ病院で入院治療を受け、幼児虐待の体験を持つ３人の子どもの成長記録の長編ミステリー小説です。

プロの批判家が口を揃《そろ》えて絶賛して、小説が爆発的に受け入れられたことに対して、天童さんの才能以上にその背後の時代的潮流に斎藤先生は着目しました。

それは、トラウマが怪物を生むというストーリー・パターンの定着で、多くの例がすぐに思い浮かび上がります。

例えば、東野圭吾さんの『白夜行』（１９９９年）。

これまたベストセラーになった大平光代さんの『だからあなたも生き抜いて』（２０００年、悲惨な境遇を経て立ち直った女性弁護士の自叙伝）。

村上春樹さんの『ノルウェイの森』（１９８７年）と『ねじまき鳥クロニクル』（１９９４年）。

椎名林檎という女性歌手が売れていますが、彼女の芸名の元になる女性は、フィオナ・アップルというアメリカの女性シンガーです。

12歳でレイプされた経験を持つこの「傷つけられた美少女」が10代で発表したファースト・アルバムの売り上げ数は、全世界で３００万枚。

自傷的なまでの自己否定と孤独を絶叫するナイン・インチ・ネイルズ（トレント・レズナー）、マリリン・マンソンというシンガーが、欧米のティーンたちに熱狂的に支持されていますが、彼らの取り上げるテーマもトラウマ物語です。

映画でのトラウマ・ストーリーは枚挙にいとまがなく、ベトコンに仲間を殺された元グリーンベレーが主役の『ランボー１』（１９８２年）、『スリーパーズ』（１９９７年）、『ボーン・コレクター』（１９９９年）、『スリーピー・ホロウ』（１９９９年）、『トイ・ストーリー２』（１９９９年）、『マルコビッチの穴』（１９９９年）等々の作品があります。

１９９６年から１９９７年、日本で流行ったアニメ『新世紀エヴァンゲリオン』も、壮大な設定の反面、思春期のトラウマと家族の葛藤が、一つの主題になっています。

トラウマが大衆文化において物語を進行させる主要ファクターの位置を確立したわけです。

精神医学の世界でも、「ＰＴＳＤ＝心的外傷後ストレス障害」「解離性障害・多重人格障害」「アダルト・チルドレン」等々のトラウマをキーワードとする障害が注目されています。

斎藤先生によると、これらの概念が大衆化される際に必ず生じる誤解、度を越したその応用に大いに問題があるとのことです。

ＰＴＳＤは、ヴェトナム戦争の帰還兵の問題としてアメリカで大きくクローズアップされ、日本では、１９９５年の阪神・淡路大震災以降に広く知れ渡り、現在はいじめの被害者問題で取り沙汰されています。

解離性障害・多重人格に関しては、胡散臭《うさんくさ》さがあり、いまだ議論の余地ありです。

アダルト・チルドレンは、虐待などのさまざまな心的外傷体験から「自己の正当な欲求を正当に表出できなくなった人」を指し、その結果、「自分を好きになれない」「プライドが持てない」「感情がコントロールできない」といった問題が生じて、自己肯定感の欠如、嗜癖《しへき》障害、摂食障害を引き起こします。

すべてを自己責任として引き受ける虐待児は、逆に親をかばって奉仕したりすることもあり、そういった態度が成長後にさまざまな嗜癖、葛藤を生ぜしめます。

アダルト・チルドレンの治療法は、虐待を受けたことに対して、本人には責任がなくて、親が責任を負うべきであることを十分理解させる必要があります。

ここで斎藤先生が取り上げる問題とは、アダルト・チルドレンのブームとともに出現した自称アダルト・チルドレンの人たち。

現在の自分の問題をすべて過去に親から被ったトラウマが原因と主張する人たち、トラウマを声高に語る人たちの存在です。

心的現実を実体験と混同することが、よく起こります。

「偽記憶症候群（False Memory Syndrome)」が、アメリカで問題になっています。

治療の過程で近親相姦などのトラウマの記憶が甦り、患者が加害者とされる親族を告訴するケースが急増しましたが、全く身に覚えのない親族の一部が、

「そのような記憶は、治療中に患者に植えつけられた偽の記憶である」と主張。

逆に治療者を告訴する事態が生じるようになりました。

その活動は、全米に広がり、「偽記憶症候群財団」なる団体まで設立されました。

治療過程でトラウマが発見されたら、それが事実なのか、幻想なのかを治療者は速やかに判定する必要があります。

斎藤先生の臨床経験によると、引きこもりの青年は、よく「親に虐待された」「親のせいで人生が狂った」と主張することが多いですが、治療が進み、過去の辛い記憶が整理されていくと、「やっぱり自分が悪いとわかった」「親に申し訳ない」と言い始めることがよくあり、トラウマがトラウマでなくなります。

もちろん、彼らはわざと嘘をついていたわけではなくて、ただその時々の心的現実が、治療とともに変化していっただけで、親に対する治療初期のトラウマ発言は、親や周囲の人たちからの批判に対抗するためのもの、あるいは自分の苦悩を理解してもらいたいためのサインだったわけです。現実問題として、引きこもりの人たちの中に虐待経験者は、ほとんどおらず、真の被虐待児は、早い時期に家から出てしまうことが多いです。

積極的に自分のトラウマを語り倒す人の問題点は、トラウマそのものではなくて、トラウマの背後に隠されたモノというケースが結構あり、トラウマが果たして幻想なのか、現実なのか。

これが問題になってきます。


それでは、どうしてこういう風潮が世界的に見られるようになったのか？

斎藤先生は、こう分析しています。

トラウマ・ブームの背後には、ハリウッド映画で流行っているコンピューター・グラフィック（ＣＧ）のように世界を過剰に視覚化しようとする欲望が、その根底にあるということです。

これを「過視化」と呼びますが、デジタル技術によって「不可視」を可視化させる世界的な過視化傾向。

これがトラウマ・ブームの根底にあるのではないかというのが、斎藤先生の結論です。

最近はＳＮＳの大躍進で、「可視化」＝「過視化」が現実化しています。

ＳＮＳで、他人の仕事、経歴、魅力などが可視化できるようになりました。

ツイッターに書き込み、「いいね」がつき、リツイートされ、フォロワーが増える。

そして、その数に一喜一憂するといった現象は、他人と比べることで生まれます。

ＳＮＳで、時間と距離を超えてリアルタイムで世界中の人たちとつながることが可能になりましたが、他人同士のつながりとその行動が可視化され、他人と自分を見比べて、孤独、嫉妬、憤りなどのネガティブな感情が即座に生まれるようになりました。

ＳＮＳの「過視化」による弊害、副作用といえるでしょう。

（４）『オレ様化する子どもたち』（諏訪哲二著、中公新書ラクレ、２００５年）

著者は、諏訪哲二先生（すわてつじ、１９４１年、千葉県出身、「プロ教師の会」代表。

東京教育大学文学部卒業。「プロ教師の会」は『別冊宝島』で『ザ・中学教師』『ザ・中学教師　子どもたちが大変だ！』などの話題作を刊行、教職40年）、大人と対等と信じ、他人を気にかけなくなった子どものオレ様化の原因を探り、個性化と社会化のあり方を問うことがテーマです。

諏訪先生は、１９８０年代半ばに「新しい生徒たち」に出会いました。

すでに完成した人格を有しているかのように振る舞い、知的、人格的にも学んで自分を変えようとしない。

だからといって社会を生き抜ける強い自己になったわけでもなく、自分では偉い一人前の存在だと思っているが、対人関係や社会的適応性の脆弱なもろい自己。

オレ様化して、自己を他者と比べて客観化して見つめることもできないし、自己（の感覚）に閉じこもり始めた生徒たち。

そういう生徒たちと接します。

１９８０年代から１９９７年まで、学校、教師は、生徒の管理ばかりして教育的でない、と管理教育批判を浴びてバッシングされ続けてきた時代でした。

未来を担う子どもや青少年を美化して、「子どもは決して変わらない」と主張する教育界やマスコミとは意見を異にする諏訪先生は、子どもの変容にいち速く気づき、「教師が子どもたちに教育を加えられるのは、子どもたちが、児童や生徒として学校に現れた時であり、自由で主体的な近代的個人として自己主張されたら、もう収拾がつかない」と説きます。

子ども中心主義、個の自由尊重という立場から、学校や教師に厳しい朝日新聞は、１９９７年に神戸で起きた連続児童殺傷事件に対して、少年A君に対する担任のいじめや差別が事件の動機という青写真で報道を開始しましたが、さまざまな事実が判明してくると慌てて撤回して報道の立て直しを図ったとのことで、学校や教師のせいではない子どもの事件はないという認識とスタンスが覆されました。

１９７０年前後の学園紛争、１９８０年前後の校内暴力、いじめにかかわる自死事件。校門圧死事件（１９９０年7月6日、兵庫県神戸市西区の兵庫県立神戸高塚高等学校で、同校の教諭＝細井敏彦、当時39歳が遅刻を取り締まることを目的として登校門限時刻に校門を閉鎖しようとしたところ、門限間際に校門をくぐろうとした女子生徒＝当時15歳が門扉に頭を挟まれ圧潰されて、死亡した事件）。

教師の体罰による生徒死亡事件、高校の中途退学、不登校、引きこもり。

それらはすべて学校や教師の前近代的な押しつけ的教育のせいと説明されてきました。

さて、戦後の日本では経済力が向上して生活が豊かになるとともに生活空間における「個」の自由の拡大が広がり、学校生活における不自由（＝規制）との格差が増し、学校の自由を求める報道が主流になりました。

しかし、１９９７年から少年の凶悪事件が続発、１９９８年には「学級崩壊」という言葉が全国を駆け巡り、学級崩壊を取り上げた朝日新聞自らが、「子ども批判」というパンドラの箱を開けてしまいます。

１９７０年代はクラスで、「タバコを吸っているか、または吸ったことがある人は、立ちなさい」と教師から言われると、ワル（＝不良学生）たちは、現認されていないにもかかわらず、みんなの手前もあり、しぶしぶと立ち上がりました。

教師と生徒（不良学生）の間の溝は、それほど深くはありませんでした。

１９８３年、生徒指導部長の諏訪先生のところにトイレで喫煙していた現場を教師に見つかったごくふつうの感じの３年生の生徒が連れてこられましたが、その生徒は、喫煙を現認している当の教師の前で、「タバコを吸っていない」と言い張り、最後まで認めようとはしませんでした。

またある女生徒が、テストの時に答案用紙の下に細かい字でびっしりと書き込まれたカンニングペーパーを隠していました。

監督の教師が注目していることを態度で示してやめさせようとしましたが、それでもやめない。ついに監督の教師は、カンニングペーパーを取り上げましたが、その女生徒は、カンニングペーパーは暗記するために作ったもので、カンニングのために作ったものではないと言い張り、カンニングの意図を否定し、それを使って答案を書いたという行為も認めませんでした。

しまうのを忘れていたというのが女生徒の言い分で、答案の答えとカンニングペーパーの答えが同じという状況証拠も役には立ちません。

「教師のくせに喫煙の事実を認めさせることができない」「カンニングペーパーがあるのにカンニ

ングを認めさせることもできない」と周りから嗤《わら》われたそうですが（70年代、ワルは権威性を認めていない先生に対しては空とぼけするので、指導力が疑われたわけです）、80年代以降は、ふつうの生徒を相手にしてもこのようなことが起きて、事実の確認すらできなくなりました。

諏訪先生が衝撃を受けたのは、１９８５年4月に学年主任である自分のクラスに入学したばかりの15歳の少年を注意した時のことです。

授業の最初からずっと小さな声でしゃべっていたその子に対して、目や動作で注意をうながしても聞かないので、我慢できなくなり思わず注意すると（別に怒鳴ったわけではない）、「しゃべってねえよ、オカマ。ふざけんじゃねえよ」と反撃されて、「授業の邪魔にはならねえだろう」と逆ねじをくらわされました。

自分が思っていること、自分が判断していることは、他のみんなにも通用するはず。

自分がこう思うことが、当然周りのみんなにも受け入れられるべきことだと確信して主張する。

客観的とか、主観的とかいう区別がなくなり、子どもたちは、自分について「外」から批判されることを拒むようになりました。

子ども（若者）たちの「私（自我）」が、みんな無数の「私」の中の一つの「私」にすぎないという自覚がなくなり、「私」を外部から眺めるもう一人の「私」がいない。

「私」を変革しなければならないとは思っておらず、「私」が感じたり思ったりすることは、「私」にとっては確かだが、他の人からはそうは見えないことに気づいていない。

「あるべき自己」と「現実の自己」との対立は、近代人の宿命であり、逆にそれこそが近代的な「個」

の正常な形と考えている諏訪先生は、問題だと思う子ども（若者）のありようは、「あるべき自己」と「現実の自己」が一体化してしまい、自己を客観視することができないこと。

自分が思っていることが客観的であり、さらに自分は特別であるとみなす意識である、と指摘しています。

自分は自分にとって特別ですが、他人の目から見たらそうではないことを昔の子どもは知っていました。

しかし、現在の若者たちは、自分の特別を平気で特権化しています。

子ども（生徒）たちは、知識や学力はともかく、人間的な価値、生き方、考え方について「外」からのコメントを受けつけず、それぞれが問題のない完璧な主体のように振る舞い、自分について語られたくないから、他人についても語らない。

異常なほどに「外」や、親を含む他人からの評価（比較）を恐れている。

それに幼児期からの全能感が結びつき、精神分析の世界では「超自我」、キリスト教ではない日本では、「象徴的な父」を代行する学校、教師の抑制が弱いため、道徳や良心の形成が希薄なまま全能感を捨て去ることができずに成長する。

１９８０年前後に校内暴力で学校が荒れましたが、校内暴力を起こした中学生たちが一番我慢できなかったことは、管理が強まったことではなく、成績（偏差値）だけで人間そのものが判断される中学の受験体制に原因がありました。

学校の管理が厳しいことは教師の責任にできますが、成績が低いことは他人の責任にはできません。

1970年代までは、「とにかく先生には従うべきだ」と教師には共同体的権威がありましたが、1980年代から、子どもは、「共同体的な子ども」から「市民社会的な子ども」に変わっていきます。そして、教師と生徒の関係性を、生徒も親も「対等なもの」とみなすようになり、子に対する親の権利も同様に低下していきます。

教育は、共同体的（上下的）に始めなければいけませんが、教師と生徒の関係が社会市民的になり、商品交換＝等価交換という考え方が導入されて、教師と生徒の関係が破綻しました。

諏訪先生が提唱している共同体的な「贈与」と、社会市民的な「商品交換＝等価交換」のパターンで考えてみると、トイレで喫煙した男子生徒、カンニングした女生徒も、学校側が下す処分（謹慎など）は、自分がやった行為のマイナスとは釣り合っていないと考え、自分の考える公正さを確保するために、事実そのものをなくすか、小さくする道を選ぶ。

これが彼と彼女の思考パターンであると分析しています。

以前の共同体的子ども同士なら、「してあげた」は「贈与」であるので、「お返し」はなくてもかまわなかったわけですが、市民社会的な子ども同士の中の「等価交換」に応じられない子どもは、他の多くの子どもたちから、変な奴と思われていじめを受けます。

等価交換は、支出に見合う支払いを求められるので、そこには愛は不在です。

また、交換関係（等価交換）しか知らない親も増え、これだけ苦労しているのに子どもがそれに見合う「お返し」を今してくれないと苛立って、子どもを虐待してしまう親もいます。

教育の原点は、子育てと同じように「贈与」であり、子育ても、教師の努力も、見返りは戻ってこないし、見返りを求めてはいけないので、等価交換は成り立ちません。

コロナ禍の中、「エッセンシャルワーカー」という言葉がよく聞かれます。

教育・医療・介護・福祉の現場で働く人々の仕事の内容は、お金儲けのサービス面よりも、見返りを求めない贈与＝奉仕の面が強いです。

贈与の最たるものが、「家事」と「子育て」ですが、そのようなルーチン、平凡でありながらものすごく大切な仕事が軽んじられることがあってはならないと著者は考えています。

（5）２００７年１月10日の読売新聞朝刊、「男ごころ、『らしさ』を超えて」という特集記事の「他人を見下し（オレ有能）」という記事

神奈川県の男子専門学校生（20）の口癖《クチグセ》は、「バカばっかり」。

昨年の就職活動中でも幾度となくこの言葉を発しました。

「オレを採らないなんてバカな会社だ」と。

有名企業を目指していた当初は、「オレは簡単に内定を決める」と豪語していましたが、採用

試験で具体的にどういう仕事をしたいのかを問われると、うまく答えられずに10数社で不合格でした。

（中略）

特別成績が良いわけでも、何か特技を持っているわけでもないのに自分を大きく見せたくて、つい虚勢を張ってしまいます。

（中略）

気がつくと、自分よりも「だめな人」を探し出して、見下すことで安心感を得ていました。
昨年末、アパレル企業の内定がようやく決まりましたが、辞退するつもりです。
「第一志望じゃないし、自分には合わない」からです。

ほかに就職の当てがあるわけではなく、とりあえずフリーターでいいと思っています。
彼の通う専門学校によると、最近、卒業を目の前にして就職をやめてしまう生徒が増えており、その多くが男子です。

教師の1人はいいます。
「本音は、きちんと働ける自信がないようです。まず、やってみたらとアドバイスしても、やってみてできなかったらカッコ悪い、という答えが返ってくる」

「仮想的有能感」

約34万部を売り上げた『他人を見下す若者たち』（講談社現代新書、２００６年）の著者、名古屋大大学院の速水敏彦教授（教育心理学）の造語です。

無意識に他人を見下すことで、「自分はエライ、有能だ」と思い込むことを意味します。

速水教授は、「格差社会で負け組になりそうな人たちにとって、生き抜くための最後のとりでなのかもしれません。

でも、自分がダメだと認めたくないから、ささいなことにでもすぐにキレる。自分には甘いけれど、他人には厳しい。

こんな現象が広がっている背景には、この仮想的有能感があるのでは」と指摘します。

その他、速水敏彦教授の考えさせられる発言を紹介します。

①今の子どもは叱っても「すみません」という言葉で素直に謝ることが稀であるという話があります。彼らは謝らないで、「なぜ自分ばかり責めるのか」と、他の同罪者の名前を口にすることが多いです。

②子どもたちは、先生に対しても怒りを抱き、それを表現することが普通になったといえます。

民主主義が浸透した現在、先生と子どもたちは対等に近い立場にあり、学級で問題が生じた場合、子ども自身の責任というよりも、むしろ先生の責任と受け取りやすく、先生の注意に対して子どもが感じるのは、悲しみというよりは、怒りです。

③最近の子どもの特徴として自分の長所がいえない子が多いと指摘しています。

④航空各社がつくる定期航空協会によれば、機内での客室乗務員への暴言や暴力をはじめとする「迷惑行為」は、この4年間（2000〜2003年）で5倍に急増しています。

迷惑行為をする人は、周囲の状況、社会の常識はまったく無視して、自分だけのルールで行動し、それを否定されると、すごく攻撃的になります。

⑤会社などでは、最近の成果主義の悪影響で、上司や同僚をバカにする社員も増えているといいます。

もはや会社では、同僚を批判しないと自らを守れません。

成果主義の下では、同僚の頑張りを認めることは、自分の評価が下がることを認めることになる。自分の評価が悪かったとしても、ちゃんと評価してくれない上司が悪いと思いたい。

90年代以降、国際競争力をつけるために日本人はもっと自分を主張せよといわれ続けてきましたが、「人の欠点をはっきり言う人のほうが有能」「先に指摘したほうが勝ち」という風潮を生み、「日本人はあら探しするのがうまくなった」とまで言われるようになりました。

⑥最近の若者は関心が自分だけに集中し、社会や他者への関心はきわめて薄いです。

まずもって自分の欲求を充足させることだけで頭がいっぱいで、他人が自分の行為をどう受けとめているのかに思いを巡らすことができません。

一方、昔の若者は、一定の年齢以上になると、他者の目が気になりました。

それは、子どもの頃から、父親や先生などの権威ある他者からさまざまな行動の制限を受けてきて、それを破ることが大きな罰につながるという意識が、内面化されていました。

社会的迷惑行為が生じるのは、現代の若者が、自分に直接関係のない人間を軽く見ているという心性の表れです。

⑦スヌーピーに代表されるチャールズ・モンロー・シュルツの描く漫画『ピーナッツ』には対照的な２人の人物、チャーリーとルーシーが登場します。

ここでは、精神科医ツワルスキーの解説を参考にして２人の生活に注目します。

『スヌーピーたちの性格心理分析』（１９９８年）『スヌーピーたちのいい人間関係学』（２０００年）（笹野洋子訳、いずれも講談社）。

ルーシーは悪いことが起きても、自分自身は成功していると考えるので、弁解します。

一方、チャーリーは、それを自分が失敗の原因と考えます。

自分自身が本当に幸福と感じる人は、周りの人を非難したり、けなしたりする必要はありません。

十分に適応している人たちは、むしろ自分への批判を素直に受け入れることができますが、ルーシーのような人たちは、おそらく心のどこかに劣等感を持っているために、他者の小さな欠点も見逃さず、彼らに対して優越者のように振る舞うと考えられます。

ルーシーは、たとえ自分に非があっても、自分には罪がないと言い張るだけでなく、責任を他人に押しつけようとします。

⑧村上隆氏らは、高校中退に関連する意識調査を行い、中退率の高さと強い関係があったのは、「社会化への不安の低さ、根拠のない楽天主義」と言われるものであったとしています。具体的には、「目立ちたい」「今の社会は生活しやすいと思う」「何をしてでも生きていけるという自信はある」「自分には、他の人と違った才能があると思う」などであったといいます。（『高校中退に関連する生徒の意識：尺度の構成と基礎分析』、中等教育研究センター紀要、第2号、2002年3月）

著者の本音

何か物事に失敗したら、（自分に何か非があったのではないか？　問題があったのではないか？）と自分自身を省みるのが、ふつうの人間であると思いますが、自己反省能力が欠如している、そういう発想のまるでない人を時々見かけます。

自信のなさ、強烈な劣等感、自己肯定感の低さの裏返しかもしれませんが、こういう人には本当に手を焼きますし（他人の意見に聞く耳を持っていない）、結局は距離を置いてつき合うか、無視するしか術がありません。

心像を描く

コリン・ウィルソン（１９３１〜２０１３年、イギリスの小説家、評論家）著の『殺人ケースブック』『連続殺人の心理（上下）』。

ロバート・ケネス・レスラー（１９３７〜２０１３年、アメリカの元ＦＢＩ捜査官、司法行動学研究所所長）著、『ＦＢＩ心理分析官』という著書から得た知識をもとに著者の意見を披露します。

レスラー氏は、ＦＢＩのプロファイリング（犯人像割り出し）の草分け的人物で、日本のテレビにも登場したことがあり、ジョディ・フォスター主演の『羊たちの沈黙』（１９９１年）という有名な映画のアイディア提供者です。

英国人であるコリン・ウィルソン氏は、英米を比較して、なぜ１つの国、それも西洋社会の指導的な役割を演じている一等国でうらやむべき繁栄を享受しているアメリカだけが、連続殺人という疫病神に取り憑かれていて、アメリカ以外の国はこの難を逃れているのか？という疑問を投げかけています。

鉄砲を所持する権利がアメリカ憲法により認められているというのが、大きな理由の一つですが、それだけでは不十分です。

1988年の『犯罪総合報告書』によると、殺人事件の総被害者２万6775人のうち45%の9300人が拳銃で、さらに10%が猟銃かライフルで殺されています。

連続殺人犯（シリアル・キラー）という言葉は、レスラー氏が編み出した言葉です。

連続殺人犯は、思春期や大人になってから急に殺人者になるわけではなくて、幼少時より空想にふける習慣がふつうの人より顕著に強く、その空想が異常です。

凶悪な襲撃、誘拐、強姦、拷問、死体切断、死体凌辱などの幻想。
具体的には、女性を縛り上げ、緊縛して、拷問して、犯し、首を絞めて殺す。
刃物で切り刻んで殺して屍姦《しかん》する。

死体の肉を切り取って食べたり、あるいは血を飲んだりするとかいう、ものすごく異常な空想で、少年時代からこういう空想を心の中に積み重ねていきます。

コリン・ウィルソン氏は、「幼児期に愛情を注がれることがない動物は、理由は不明だが、愛情を与えることも、受けることもできなくなるというのは、生物学的な事実だ」「動物学者たちの指摘によると、最も重要な刷り込み（インプリンティング）が起こるのは、赤ん坊の誕生から数週間以内のことで、この期間に愛情が注がれないと、子どもは他人と深い関係を結ぶことが永久にできなくなり、精神異常者になるおそれがある」と語り、家庭、両親の愛情に問題があることを指摘しています。

連続殺人犯は、貧しい崩壊した家庭に育っていると思われがちですが、百人を超える連続殺人犯と面接したレスラー氏の統計によると、半数以上の連続殺人犯は、安定した収入のあるそれほど貧しくない家庭に育って、知能もふつうか、それ以上ということです。

しかし、それは見かけ上のことで、両親の離婚・別居、父親不在か、非常に弱い父親がいて、女性が支配的な家庭。

家族に精神病、アルコールや麻薬の常用者、犯罪歴がある者がいるなどのシリアスな問題を抱えている家庭が多いです。

そして、幼児期の大切な期間に母親から愛情を注がれることなく冷たく扱われたり、無視されたりしているケースが目立ちます。

そういう愛情の皆無な環境で育つと、他人に対する愛情やいたわりの心を持つことができなくなり、しつけが全然なっていないから、正しいこと、悪いことの区別がつかなくなります。

ものを壊したり、盗んだり、他人に危害を加えることは、悪いことという社会のルールを教わらずに大人になるわけです。

幼年期の性的な虐待、それ以外にも他殺、自殺、事故死などの悲惨な暴力的な死を目撃して、そのイメージが精神的なトラウマとしてインプリンティングされるという説もありますが、レスラー氏によると、面接した連続殺人犯には、そういう経験がない者も多かったです。

とにかく連続殺人に駆り立てる原動力は、異常な空想の積み重ねというのが、レスラー氏の結論です。

さらにレスラー氏は、連続殺人犯を秩序型、無秩序型の2つに分け、秩序型が全体の三分の二、無秩序型が三分の一という統計を出しています。

秩序型の殺人犯は、知能犯的に振る舞い、適応性があって、証拠隠しをしたり、被害者の身元がわからなくなるように死体に細工します。

そして自信過剰で、自分は誰よりも偉いと思い込んでおり、自分を逮捕することのできない警察をバカにします。

秩序型の殺人犯は、知能指数はふつうか、それ以上ですが、挫折を通して自分が社会的不適格者であることを自覚するようになり、自分を受け入れてくれない社会に対して、大いなる怒りと憎しみを抱きます。

ふだんの秩序型の人間像は、口もうまく、人の心理を巧みに見抜き、人をだますのが得意で、一見、魅力的な好ましい人物に見えます。

それに比して無秩序型の殺人者は、強迫観念症の分裂気質、妄想型の統合失調症（精神分裂病）で、心の病気を患っているため、犯行も気まぐれで、突発的です。

無秩序型の殺人者は、貧しい家庭に育ったとか、家族に精神異常者がいるケースが多く、無秩序型で妄想型分裂病の殺人犯は、思春期に発病して10年ぐらいかけて徐々に病気が進行し、20代半ば以降に殺人者になるパターンが多いです。

姿なき声が聞こえてきて犯行に走る場合もありますが、これはもう統合失調症です。

さて、レスラー氏の著書の始めに「怪物と闘う者は、その過程で自分自身も怪物になることがないよう気をつけなければならない。深淵《しんえん》をのぞき込む時、その深淵もこちらを見つめているのだ」というフリードリヒ・ニーチェ（１８４４〜１９００年、ドイツの哲学者）の『ツァラトゥストラはかく語りき』（１８８３〜１８８５年）の一節が掲げられています。

連続殺人犯の中には、「自分がコントロールできない。お願いだ、もっと人を殺す前に早く逮捕してくれ」とか、「こんなことになろうとは夢にも思わなかった」とかいうメッセージを殺人現場に書き残した連続殺人犯もいました。

多くの連続殺人犯は、逮捕されて刑務所の中に入り、理性を取り戻して、強迫的な殺人の欲求と空想から解放されると、みんななぜ自分はあんな残虐なことを行ったのか、理解に苦しむそうです。

コリン・ウィルソン氏は、さらに面白いことを書いています。

逮捕された連続殺人犯は、７〜８歳か、それ以前よりも幼少の頃から殺人の実行を含む暴力的な幻想を心の中で描いて実行しており、その暴力的、サディスティックな空想を思春期の間に徐々に膨らませて拡大させ、大人になると、それを実現するために殺人を犯します。

そういう子どもの性格は、攻撃的。

具体的には、権威に対する反抗、窃盗、虚言癖、破壊行為、放火、動物や他の子どもに対する残虐行為があげられます。

コリン・ウィルソン氏は、連続殺人犯の幼少期から思春期にかけての兆しとして、12歳を過ぎてもやまない夜尿症、わずか５～６歳の子どもの放火、動物虐待を挙げています。

ある殺人犯は、６～７歳頃にベビーシッターを背後から襲って首を絞め、彼女をすっかり食べてしまうという空想を思い描いていて、大人になってからその殺人犯は、人を殺したあと死体に噛みついていました。

放火は、自分でマッチを擦ることにより、火事というエキサイティングな状況を作り出すことができること、そういう出来事を自分がコントロールできることに喜びを感じます。

ある連続殺人犯は、幼少時に焼けただれた建物から焼死体が運び出されるのを見て喜びを感じて、放火を実行しましたが、こうなるともう殺人の前段階です。

また別の連続殺人犯は、傷ついた犬がどれくらい走れるかを調べるために犬の腹を引き裂き、ネコの足に爆竹をくくりつけて１本しか足のないネコをたくさんこしらえ、ネコを火の中に放り込み、アパートの窓からネコを次々と投げ捨て、ネコをナイフでバラバラに切り刻んだりと、少年期に異常な残虐性を発揮しました。

ネコも人間といっしょで、いじめると悲鳴を上げ、恐怖を示し、血も流します。

日本では、１９９７年に起きた神戸連続児童殺傷事件（酒鬼薔薇事件）を彷彿《ほうふつ》させます。

レスラー氏によると、残酷ホラービデオ、ポルノビデオは、殺人には直接結びつかないそうです。

女性が縛られて猿ぐつわをかまされ、行動の自由を奪われて、銃口かナイフを突きつけられて恐怖の表情を浮かべているいわゆる「緊縛型ポルノ」を観て、殺人犯は確かにサディスティックな欲望を刺激されますが、問題点はあくまでも心の中ではぐくみ育て続けている異常な空想です。

１９４０年代にアメリカの心理学者、アブラハム・マズロー（１９０８〜１９７０年）が、「必要（または欲求）の階層」理論を唱えました。


人間には、まず1番目は、食事、排泄、睡眠に対する生理的欲求。

２番目は、屋根のある安全な住居など安心安全に対する欲求。

３番目は、家庭の愛情、集団への帰属を満たそうとする社会的欲求。

４番目は、所属する組織・集団から好かれたい、尊敬されたいという承認欲求。

５番目は、自己実現の欲求で、この５つのレベルが、次々と現れます。

満ち足りた環境の現代社会に生きる連続殺人犯は、異常な性欲はもちろんですが、それ以外に「人に知られたい」「認められたい」とかいう性欲とあまり関係ない承認欲求が、その殺人欲求に絡んできます。


尊敬を集める人になりたいという欲求は、もちろん誰にでもあり、社会的な道筋、ルートを辿って尊敬されて有名になりたいと願うのが、ふつうの感覚ですが、犯罪者の一部は、急いで有名になることのできる安易な近道を選びます。

連続殺人犯は、もともと社会に受け入れられない不適格者として社会を恨み、自分を傷つけた連中を自分が傷つけることができないのなら、誰か他の者を傷つけようという復讐心に燃えます。

そして、責めを負わせることのできる誰か他人を捜し始めるわけですが、もちろんこれは自分の非には完全に目をつむった身勝手極まりない自己中の理論で、さらに他人を支配したいという欲求、権力意志が、殺人という形で現れます。

連続殺人は、セックス目当てではなくて、権力が目的だとジークムント・フロイト（１８５６〜１９３９年、オーストリアの精神科医）も語っています。

バーナード・ショー（１８５６〜１９５０年、アイルランドの文学者）は、「われわれは芸術家をその最も高い瞬間で判断し、犯罪者をその最も低い瞬間で判断する。この２つの気質は多くの共通点を持っているようであり、それ故、両者の相違は性格や環境の相違というよりは、選択行為の相違であるということができる」と語っています。


幼少時から思春期へと異常な空想を心の中に思い描いて拡大させ、何年にもわたる準備段階を経て、ついに性的衝動と空想が爆発するまでに高められて殺人へと駆り立てられます。

レスラー氏は初めて殺人を犯すことを「一線を越える」と表現していますが、何らかのストレスが原因、引き金となって、性的衝動、破壊して傷つけたいという欲求が爆発して、一線を越え、殺人を犯してしまいます。

具体的に引き金となる出来事は、職を失う、恋人と別れる、親友と別れる、金に困る、受験に失敗する、といったふつうの人でもよく経験することですが、連続殺人犯には、ストレスに対処する精神的メカニズムが欠落しているため、ふつうの人のようにうまくストレスを処理することができず、一気に破局に突き進み、一線を越えてしまいます。

しかし、現実の殺人行為は、空想ほど完璧ではありません。

あそこでこうすればよかったとか、早く殺しすぎた、もっといたぶって楽しむべきだったとか、逆に欲求不満というか、挫折したような気持ちを味わいます。

そして、実際の殺人体験が、空想に強烈に取り込まれて、何かが欠けているという思いが、さらなる殺人へと駆り立てます。

それに警察にも捕まらないから、犯行に対して自信も生まれてきて、次はもっとうまく、もっと完璧にやろうという気持ちになってきます。

レスラー氏によると、これは、次週はどうなるんだろうかとハラハラドキドキしながらテレビの連続ドラマを毎週欠かさず観てしまうような心境で、そこで連続殺人犯を「シリアル・キラー」と表現しました。

殺人欲求が徹底的に満たされると、狂気の衝動は一時的に落ち着き、しばらく「冷却期間」が訪れます。

この冷却期間は、1日から数日、1週間、数ヶ月、数年とまちまちですが、この冷却期間があるのが、連続殺人犯の特徴です。

連続殺人犯は、自分自身の空想に強く囚われているから、捕まる危険、捕まって処刑されるリスクが、犯行を押し止めることはありません。

むしろ危険の要素が大きければ大きいほど、殺人行為から得られる興奮や満足感も大きくなってくるので、大部分の連続殺人犯は、一線を越えてしまうと、あとは果てしなく人を殺し続けます。罪の意識に苛《さいな》まれて自殺することはごくごく稀で、警察に捕まらない限り、自由の身である限り、殺し続けます。

ある連続殺人犯は、実際の殺人行為では空想ほどの満足感は得られなかったし、永久に得られないだろうと語っています。

植木等さんの「スーダラ節」の「わかっちゃいるけど、やめられない」ではありませんが、子どもの時から思い描いて育ててきた暴力的な空想＝心像は、第二の天性として魂に完全にインプリントされているため、いったん刑務所に入って更生したように見えても、釈放後まもなく再び殺人を犯す危険が高いそうです。

コリン・ウィルソン氏によると、ある警察関係者は、アメリカ全土には35人もの連続殺人犯が明らかに野放しになっており、１ヶ月に１人の割合で、その総数が増加しているのではないかと語っています。

コリン・ウィルソン氏の本が刊行された１９８８年には、アメリカの連続殺人犯の推定数は、５００名にのぼりました。

魔術、心像、魔術的思考

人間の心は、無限のエネルギーと可能性を秘めています。

人間は、何かしたい、何かを手に入れたいと強く心に念じて、「心像」を思い描きます。

その心像を現実化させる一助としてあるのが、魔術です。

ふつうの人でも、心像を心の中に強く思い描き続ければ、「ドリーム・カム・トゥルー」ということで、その心像を現実化することは、十分可能です。

ただし、如何に具体的に心の中に心像を思い描くことができるか。

さらにその心像を保ち続けることができるか。

これが問題になってきます。

この世でも、恋人、好きな人の写真を部屋に飾ったり、持ち歩いたりして、その人と結婚したいとか、片思いの相手なら相手に好かれたいとか願います。

昔から写真は、心像の現実化に最も有効な手段でした。

魔術・オカルトの実践とは、人間の「意識の解放」と「意識の拡大」。

人間の意志は、適切な訓練を積むならば、文字通り万能になると、西洋魔術の原理は説いています。

自分の心の中に「心像」＝かくありたいとか、こうしたいという構想理想を強く思い描いて、自己意識の中に思い描いた心像を固く保持し続け、魔術的な助けを借りて、意識を解放・拡大していく。

それにより自分の心像を現実世界に展開していって、自己実現する。

さらに自己超越することにより、大いなる者との一体化を図り、宇宙意識へと至る。

古来人間は、自分が作り上げた心像を実現すべく、魔術的方法を用いてきました。


下品な下ネタ話になって恐縮ですが、極端な例を上げると、ジョセフ・アントワーヌ・ブーラン（1824～1893年）、通称ブーラン師という性魔術の大家がおりました。

エデンの園における人間の堕落は性的な性質のものであり、人間の堕落は咎められるべき愛の行為によって引き起こされたのであるから、逆に宗教的精神で完遂される愛の行為によって人間の救済がなされる。

もし人間が、天使や、他の天上界の存在と性交するならば、人間は霊的進化の梯子を急速に昇って聖なるものと結合することが可能になる。

人間と動物との媾合は、動物の霊的な進化を促進するので善なることであると説き、自慰行為中に目標とする天使なり、クレオパトラのような過去の絶世の美女なりを強烈に心の中に思い浮かべて、魔術的な技を応用すると、実際にそれらの霊的な存在と媾合することができるし、現実の性交においても相手を適当な霊的存在と同一視することにより、より天的な霊的存在と媾合できると語っています。

　ブーラン師の性魔術の真偽のほどは定かではありませんが、とにかく心像を心の中に思い描く作業は、どんな人間でも行っています。

　そして現在はＤＸ（デジタル・トランスフォーメーション）全盛時代。

デジタル・ネイティブのＺ世代（２０２２年では、10代中盤から25歳くらいまでの若者世代）以下の青少年たちは、物心つく前からＤＸ機器を使いこなして、ゲームに打ち興じて成長しますから、自分の心の中に具体的に心像を作り出す作業は、みんなお手のもので、簡便かつ安易に自分個人の心像世界を作り上げることができます。

「異世界ブーム」は、その最たるものと考えます。

　ブーラン師などのオカルティストは、魔術的手技により意識の解放と拡大を図りましたが、裡なる無意識が生み出す幻覚、幻想をコントロールできなくなって、自分自身が生み出した狂気の幻想の世界にはまり込み、最後に精神異常を来す者が大勢いたことは、オカルトの世界ではよく見聞きします。

　そして、現在のその典型例は、１９９７年の神戸連続児童殺傷事件の酒鬼薔薇聖斗少年。

　携帯サイトの電子掲示板に１０００回以上の書き込みをして、犯行予告も残していた２００８年の秋葉原通り魔事件の加藤某。

彼らは、自らが作り上げた狂気の心像世界にのめり込んだ挙句に自分自身でコントロールできなくなって虚構の現実化へと暴走したわけです。

コリン・ウィルソン氏の『現代殺人百科』（１９８３年）という著書の「殺人の時代」と題された前書きは、以下のように始まります。

> １９６０年に本書の前版「殺人百科」が出て以来、文明世界の暴力のパターンには目立った変化が見られる。
>
> 動機のない凶暴性を特徴とする犯罪がますます増加の傾向にある。
>
> 理解を越えた、背筋の寒くなるような変化である。
>
> １９８２年２月10日、１人の精神異常者がシカゴの薬局に入ってきて、タイレノールという鎮痛剤のビンに青酸カリが入ったカプセルを混入し、どこかに消えた。
>
> 最初の犠牲者は12歳の女の子だった。数日のうちに死者は7人になった。
>
> それから１週間後、中年の男がコロラド州グランド・ジャンクションで目薬を買った。
>
> その１滴を目に落として、彼は苦悶にのたうちまわった。
>
> だれかが塩酸と中味をすりかえたのだ。
>
> 最初の事件から数週間後以内に、これをまねした事件が全米で１００件以上も起きた。
>
> 全米各地の治安保健当局者は、ハロウィーンで「お菓子をくれなければいたずらするぞ」の遊

び（「Ｔｒｉｃｋ ｏｒ Ｔｒｅａｔ」と言いながら近隣の家を回ること）をする子供たちに、例年より声を大にして警告を与えた。

これまでの10年間にも心の変な人がいて、お菓子に毒を混ぜたり、りんごの中に針やカミソリの刃を刺し込んだりして、事件が起きている。気を付けるようにと。

痛ましいことに、この警告はまさに的中した。

危険な細工がほどこされたお菓子を口にして病院にかつぎこまれる子供は記録的な数にのぼった。

そして、コリン・ウィルソン氏は、この著作を書いていた１９８０年代頃からの犯罪の特徴として、「動機と犯罪の内容にまったく関係性がない」という事例があまりにも増えたことを強調しましたが、現在、毎日のように見かけるタイプの事件です。

「家で夫婦喧嘩して、むしゃくしゃしていたので、道で知らない人を殴った」「会社をクビになったから、駅のホームから知らない人を突き落そうとした」「親に怒られたから、街で知らない人に危害を加えた」などの報道です。

この「〇〇だから△△をした」という動機の〇〇と、結果の△△の間にまったく関係性のない犯罪を起こす思考をコリン・ウィルソン氏は、「魔術的思考」と呼んでいます。

隣の家庭は、リッチに、優雅に、そして幸せそうに暮らしているのに（隣の芝は青い）、自分は社会的弱者、敗者として、社会から抑圧されて惨めな不幸せな人生を送っている。

金も権力もある隣人に仕返しはできないので、自分より弱い者に復讐しよう。

そういう発想で、自分より劣る・弱い、あるいは逆らわない見ず知らずの犠牲者を探し出して、うさを晴らす、とんでもない仕打ちを仕出かす。

これが「魔術的思考」で、とても自己中心的な歪んだ思考です。


この手の犯罪で最近の日本で起きた出来事ですぐに脳裏に浮かぶ事件を紹介します。

①小田急線刺傷事件：
２０２１年８月６日に東京都世田谷区内を走行中の小田急電鉄小田原線車内で発生した無差別刺傷事件。

乗客の20歳の女子大生が重傷を負った他、併せて10人が怪《け》我《が》をしました。

加害者の男が「幸せそうな女性を見ると殺してやりたい」「女性なら誰でもよかった」などと供述していることから、「ミソジニー犯罪」「女性へのヘイトクライム」「フェミサイド」の可能性が指摘されています。

②京王線刺傷事件：
２０２１年10月31日、東京都調布市を走行中の京王線京王八王子発新宿行き特急（10両編成）で、男が刃物で乗客の70代男性を刺し、さらに油のような液体をまいて火をつけました。

刺された男性は意識不明の重体。転倒したり煙を吸ったりして10～60代の男女16人がけがをして、警視庁は殺人未遂容疑で住所、職業不詳の自称服部恭太容疑者（24）を現行犯逮捕しました。

犯人は、映画『バットマン』シリーズでためらいなく人を殺す悪役「ジョーカー」に似せた服装で犯行に及びました。

服部容疑者は、「２人以上殺せば死刑になると思った。（８月に起きた）小田急線の事件を参考にした。ライターオイルをまいた」と話しています。

③大阪、心療内科放火殺人事件‥

２０２１年12月17日、大阪市北区曽根崎新地のビルに入る心療内科のクリニックが放火された事件。巻き込まれた25人が死亡、１人が重体になっているほか、警察が殺人と放火の疑いで捜査している谷本盛雄容疑者（当時61）が死亡しました。

容疑者のスマートフォンの検索履歴から、過去に起きた無差別殺人や放火殺人事件の犯人の行動パターン、犯行手段や動機について研究していたことが判明。

「どうせ死ぬなら人を巻き込んで死んでやろう」という動機がうかがえました。

ネット環境が発達した現代社会で、犯人は自分の不遇な境遇を過去の事件の犯人になぞらえて、社会への当てつけのように犯行に及びました。

④立てこもり医師射殺事件‥

２０２２年１月28日、埼玉県警東入間署は、母親の在宅診療を担当していた医師の鈴木純一さん（享年44）を散弾銃で撃った殺人未遂容疑で渡辺宏容疑者（66）を逮捕しました。渡辺容疑者は１月27日、「（亡くなった母親に）線香を上げに来い」と、鈴木医師らスタッフ７人を電話で自宅へ呼びつけ、前日に鈴木さんが母親の死亡を確認していたにもかかわらず、「心臓マッサージをして蘇生させてほしい」と要望し、断った鈴木医師の胸めがけて散弾銃の引き金を引きました。

その後、渡辺容疑者は11時間にわたって立てこもりましたが、翌朝８時に県警が突入して、逮捕に至ります。

鈴木医師の死亡が確認され、渡辺容疑者は、「母が死んでしまい、この先、いいことがないと思った。先生やクリニックの人を道づれにして自殺しようと考えた」と供述しています。

著者の本音

人間は、「心像」を心の中に思い描いて、理想や夢に向かって生きていきます。

自分の心の中の「心像」＝かくありたいとか、こうしたいという構想理想を強く思い描き、その心像を固く保持し続け、魔術的な助けを借りて、意識を解放・拡大していき、その心像を現実世界に展開して、自己実現する。

さらに自己超越することにより、大いなる者との一体化を図り、宇宙意識へと至る。

そのために魔術がありました。

昔は、「魔術師」と呼ばれた特殊な才能と特技を持つ人たちの十八番（おはこ）である「魔術」でしたが、現在のDX（デジタル・トランスフォーメーション）の技術のおかげで、誰でも自分の心の中に思い描いた「心像」をデジタルで可視化できるようになりました。

そこに遠山先生の一言、

「だからおよそ人が考える悪しきことのすべてがネットから流れ出る」という文章が、著者の心に突き刺さりました。

社会から抑圧されている不遇でみじめな自分を顧みて、そんな社会に対して復讐しようと考え、自分より強く、金も力もある人には復讐できないので、自分より弱い者、自分に逆らわない者に怒りの矛先をぶつける。

そんな「魔術的思考」＝自己中心的、被害妄想的思考が、ネットを通して増幅され、自己実現の形として想定外の異常事件として具現化されています。

闘争の絶えない人類史を見ても、最初は、素手で殴り合い↓こん棒や手斧などの武器で戦い↓刀、槍、飛び道具の弓矢で戦い↓火薬が発明されると、銃さらに大砲で戦い↓原子力の発見により、核兵器で張り合う。

科学と技術の進歩によって使用する武器と戦術は変わってきましたが、人間の精神、根本的なところはまるで変わっていないし、飛躍的に向上、進歩したとは到底思えません。
人間の良いところ＝　良心、真善美を好む心、利他の心。
人間の悪いところ＝　自己中心、嫉妬、憎悪、利己の心。
すべてがむき出しに表出しているＳＮＳの中で、人間の「心の闇」が垣間見えますが、その闇は底知らずで、闇の奥底の底には、いったい何が隠されているのか。

何が潜んでいるのか。

ここ20年間あまりの科学技術の革新的、そして長足の進歩により掘り起こされて可視化される人間の心の奥底の深遠の闇に、現代人の倫理、道徳がついていけるのかどうか。

著者は、強い危機感と怖いモノ見たさの好奇心との狭間で、ウオッチしています。

あとがき

著者は、還暦を過ぎて63歳になりました。

60歳の還暦の祝いに赤い頭巾とちゃんちゃんこを着る習慣は、「老いて二度児になる（狂言、財宝）」と古くからいわれてきたことの表現で、赤い服を着せられて他愛なく喜ぶ児のごとく誰からも好かれる好々爺《こうこうや》となり、いずれは祖霊となり、子や孫の世代を温かく見守る人にふさわしい老いへと至る。古きよき伝統であります。

還暦を過ぎてセカンドライフに突入した著者の趣味・嗜好は、20歳前後の頃に立ち返っていることを最近よく自覚します。

若い頃、自分が書いた文章が活字になる喜びと快感。

その感動を再度味わうためにこの20年間にインプットしたものをアウトプットするために今回、拙著を上梓しました。

もともと拙著は、２０２２年に幻冬舎主催の「センセイの本音」コンテストに応募した原稿で、残念ながら大賞受賞には至りませんでしたが、幻冬舎の小原七瀬さんの激励、梅崎柚香さんのご協力とご尽力により、日の目を見ることができました。

「安楽死と尊厳死」に関しては、著者の所属する日本スピリチュアルケア学会（ＪＳＳＣ）の学術委員会でご指導を賜った東京大学名誉教授の島薗進先生のご著書からたくさんのことを学び、考えさせられました。

さて、豊臣秀吉の軍師、竹中半兵衛と同じく参謀役の黒田如水が痛飲した際、半兵衛が如水の扇面にさらさらと書き流した字あまりの都々逸に「酒をのむなら　大丈夫（おとこ）とのみやれ　10年かけた読書にまさる」というのがあります。

大学時代から40年あまり、公私にわたりご支援を賜り、さらによき飲み友達として「40年かけた医学にまさる」親交を結んでくださっている心友、堂井了（さとる）先生にこの場を借りて、厚く御礼を申し上げます。

そして、拙著に登場する先師の諸先生方に深く感謝を捧げたいと思います。
拙著に目を通していただき、読者の皆さまの心に何か残るものがあれば、幸いです。

参考文献

1．高齢患者の終末期医療

『文藝春秋　文學界　２０１９年1月号』対談　落合陽一　×　古市憲寿

『在宅医療の真実』小豆畑丈夫、光文社、２０２１年

『高校生ワーキングプア「見えない貧困」の真実』ＮＨＫスペシャル取材班、新潮文庫、２０２０年

2．ＬＧＢＴについて

『ＬＧＢＴの不都合な真実』松浦大悟、秀和システム、２０２１年

『神話・伝承事典』バーバラ・ウォーカー、山下主一郎訳、大修館書店、１９８８年

『聖書』日本聖書協会、１９５４年新約、１９５５年

『世界史事典』平凡社、１９８３年

『夢の宇宙誌』澁澤龍彦、河出文庫、１９８４年

『魔女と魔術の辞典』ローズマリ・エレン・グィリー、荒木正純・松田英監訳、原書房、１９９６年

『テンプル騎士団』レジーヌ・ペルヌー、橋口倫介訳、白水社、１９７７年

『キリスト教とセックス戦争』カレン・アームストロング、高尾利数訳、柏書房、１９９６年

『聖書外典偽典４　旧約偽典II』村岡崇光訳、教文館、１９７５年

３．尊厳死と安楽死

『見捨てられる〈いのち〉を考える　京都ＡＬＳ嘱託殺人と人工呼吸器トリアージから』安藤泰至・島薗進編、川口有美子・大谷いづみ・児玉真美、晶文社、２０２１年
『私がしたことは殺人ですか？』　須田セツ子、青志社、２０１０年

４．ＳＮＳと若者

『シン・サラリーマンの心療内科』　遠山高史著、プレジデント社、２０２０年
『「ケータイ・ネット人間」の精神分析』　小此木啓吾、飛鳥新社、２０００年
『精神科がおかしい』　別冊宝島Ｒｅａｌ００５、斎藤環、２００１年
『「少年Ａ」14歳の肖像』　高山文彦著、新潮文庫、２００１年
『オレ様化する子どもたち』　諏訪哲二、中公新書ラクレ、２００５年
『他人を見下す若者たち』　速水敏彦、講談社現代新書、２００６年
『オカルト（下）』　コリン・ウィルソン、中村保男訳、河出文庫、１９９５年
『殺人ケースブック』　コリン・ウィルソン、高儀進訳、河出文庫、１９９２年
『連続殺人の心理（上下）』　コリン・ウィルソン、中村保男訳、河出文庫、１９９３年
『ＦＢＩ心理分析官』　ロバート・Ｋ・レスラー、相原真理子訳、早川書房、１９９４年
『現代殺人百科』　コリン・ウィルソン、関口篤訳、青土社、２００４年

著者紹介

タコバシ（本名：庭野　元孝）

1959年兵庫県西宮市生まれ。

1985年京都大学医学部卒業。

1985年聖路加国際病院外科医局入局。

1998年京都大学大学院医学研究科博士課程修了、医学博士。

1998年〜2000年遺伝子治療研究でMIT（マサチューセッツ工科大学）、Harvard Medical SchoolのBrigham & Women's Hospitalにポスドク（Postdoctoral Fellow）留学。

帰国後は、京都大学の関連病院で外科医として勤務。2010年からメスを置き、総合診療医ドクターGとして、高齢者医療と救急の現場で活躍中。

幻冬舎ルネッサンス新書 260

ドクタータコバシの爺《じ》ジ（時事《じじ》）放談《ほうだん》

2023年6月30日　第1刷発行

著　者　　タコバシ
発行人　　久保田貴幸

発行元　　株式会社 幻冬舎メディアコンサルティング
〒151-0051　東京都渋谷区千駄ヶ谷4-9-7
電話　03-5411-6440（編集）

発売元　　株式会社 幻冬舎
〒151-0051　東京都渋谷区千駄ヶ谷4-9-7
電話　03-5411-6222（営業）

ブックデザイン　　田島照久
印刷・製本　　中央精版印刷株式会社

検印廃止

ISBN 978-4-344-94331-5　C0295
幻冬舎メディアコンサルティングＨＰ
https://www.gentosha-mc.com/